¿Un mundo sin agua?

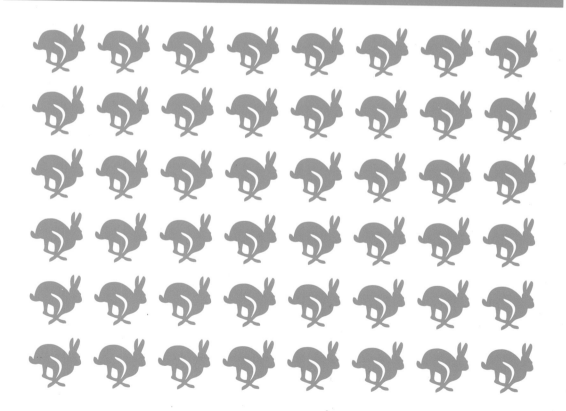

DIRECCIÓN EDITORIAL: Antonio Moreno Paniagua
GERENCIA EDITORIAL: Wilebaldo Nava Reyes
COORDINACIÓN Y EDICIÓN DE esonosé: José Manuel Mateo
DISEÑO DE LA COLECCIÓN: La Máquina del Tiempo M.R.
DISEÑO Y FORMACIÓN: Andrés Mario Ramírez Cuevas

PRIMERA EDICIÓN: Marzo de 2008

D.R. © 2008, Ediciones Castillo, S.A. de C.V.
Av. Insurgentes Sur 1886, Col. Florida,
C.P. 01030, México, D.F.

Ediciones Castillo forma parte
del Grupo Macmillan

www.grupomacmillan.com
www.edicionescastillo.com
info@edicionescastillo.com
Lada sin costo: 01 800 536 1777

Miembro de la Cámara Nacional
de la Industria Editorial Mexicana.
Registro núm. 3304

ISBN: 978-970-20-1014-2

Impreso en México / *Printed in Mexico*

Esta obra se terminó de imprimir en
marzo del 2008, en los talleres de
Litográfica Ingramex, S.A. de C.V.
Centeno 162-1, Col. Granjas Esmeralda,
C.P. 09810, México, D.F.

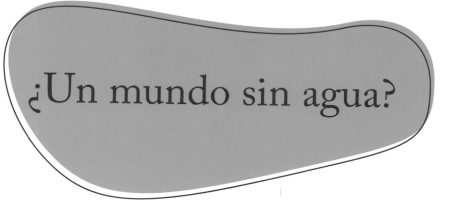

¿Un mundo sin agua?

Francisco Peña

ILUSTRACIONES DE ADY CARRIÓN

CASTILLO

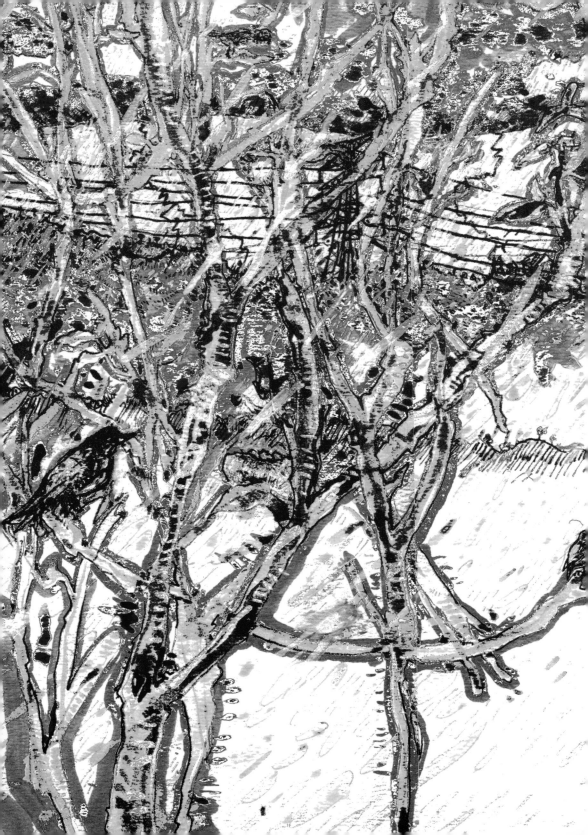

¿Cuál es el **problema?**

Para Francisco, mi amado hijo.

En las conversaciones familiares, las noticias de la televisión, los discursos políticos y las reuniones internacionales de jefes de gobierno es frecuente que se hable del "problema del agua". Es una manera de abreviar, pues el agua no tiene ningún problema. Los problemas son nuestros, ya sea para obtener, repartir, desalojar, utilizar el líquido, o bien para prevenir y enfrentar las adversidades cuando las lluvias torrenciales rompen las presas, arrasan cultivos e inundan poblaciones, o cuando la nieve bloquea los caminos e interrumpe las comunicaciones.

Es más preciso decir "nuestros problemas con el agua", que se manifiestan en varios hechos. La sexta parte de la población mundial (mil millones de personas) no tiene acceso al agua potable y la tercera parte no cuenta con sistemas de saneamiento. En las últimas dos décadas aumentaron en el planeta las enfermedades y muertes relacionadas con el consumo de aguas contaminadas. Durante el siglo XX miles de personas perdieron su fuente de sustento diario, debido a que sus lagos y ríos fueron secados o contaminados por desechos industriales y urbanos. Además, durante las últimas décadas hemos sido testigos de grandes inundaciones que asolaron poblaciones enteras en todos los continentes.

En México, miles de campesinos han tenido que dejar de sembrar porque las aguas que utilizaban para regar los cultivos fueron llevadas a las ciudades, generalmente en contra de la

voluntad de ellos. Los pescadores ven amenazada su fuente de vida por los derrames de petróleo y otros desechos que contaminan los ríos. Cientos de pequeñas poblaciones no cuentan con el agua necesaria para la vida cotidiana, lo que también sucede en muchas colonias populares de las grandes ciudades. Esta situación provoca que al año miles de niños y ancianos se enfermen y lleguen a morir por beber aguas de mala calidad; en las rancherías y pueblos alejados, las mujeres y los niños dedican la mitad del día a buscar el agua necesaria para beber y preparar los alimentos; las familias pobres de las ciudades gastan la mitad de sus ingresos en la compra del agua más indispensable, mientras que durante la temporada de lluvias pasan semanas inundados por las aguas sucias que salen de las cañerías.

Se trata de múltiples e importantes problemas que a juicio de la Organización de Naciones Unidas (ONU) son expresiones de una crisis mundial del agua. Durante los últimos treinta años, la ONU ha puesto especial atención a este tema, realizando reuniones internacionales y organizando campañas para que los gobiernos atiendan con urgencia los problemas más graves de abasto y se esfuercen en proteger los cuerpos de agua de la contaminación. También se han multiplicado los grupos, organizaciones y redes de la sociedad civil que acuerdan accio-

nes para cuidar y defender el agua, tanto local como mundial-
mente. Se ha generalizado la convicción de que para enfrentar
la crisis del agua son indispensables las acciones conjuntas a
escala mundial, pues el ciclo del agua, la lluvia, los ríos, lagos,
acuíferos y océanos no conocen de fronteras internacionales.

Para la ONU, la crisis del agua deriva de las maneras en que
los gobiernos y las sociedades han buscado, repartido, utilizado
y administrado el líquido. Para enfrentarla, debemos cambiar
las políticas, actitudes y prácticas que han sido dominantes
hasta ahora. Un cambio urgente es terminar con la enorme
desigualdad que existe en el mundo, pues a juicio de la ONU y
de las organizaciones civiles la pobreza "es un síntoma y una
causa de la crisis del agua".

La solución de la crisis del agua no puede dejarse sólo en
manos de los gobiernos o de las organizaciones internacionales.
Se requiere de la intervención de toda la sociedad organizada.
Es importante conocer cómo se manifiesta y origina esa crisis,
para contribuir a cambiar una situación que amenaza, de manera distinta en magnitud y urgencia, a la humanidad entera.

Este libro presenta algunas de las causas y manifestaciones
de la crisis del agua. Su objetivo es que los lectores reflexionen
sobre este problema, para motivar una participación social
informada y responsable.

¿Cuánta agua hay en el mundo?

Es imposible mencionar todos los elementos que influyen en los problemas que tenemos con respecto al abasto de agua, pero podemos reflexionar sobre las opiniones más difundidas. Una de ellas es que las dificultades se deben principalmente a la escasez. Es cierto que en el mundo existen grandes regiones donde llueve poco, como el norte de África, el suroeste de los Estados Unidos y el norte de Chile y México; pero también es verdad que con frecuencia nos enteramos de que en esos mismos continentes y países, pueblos enteros sufren bajo la furia de los ríos que corren fuera de su cauce debido a las lluvias torrenciales.

La cantidad de agua que existe en nuestro planeta no se ha modificado desde que el hombre apareció sobre la tierra. El ciclo hidrológico se ha estado repitiendo una y otra vez por millones de años: el agua evaporada de océanos y cuerpos continentales se precipita sobre la tierra (como lluvia, granizo o nieve), una parte cae directamente en los mares y océanos, otra escurre por la superficie terrestre formando arroyos, ríos y lagunas, y otra más penetra en la tierra para alimentar los acuíferos; la mayor cantidad de esa agua vuelve a evaporarse y el ciclo empieza de nuevo.

No hay evidencia científica de que el volumen total de agua esté cambiando, aunque una parte haya modificado su estado físico debido al calentamiento del planeta, que está derritiendo lentamente los hielos polares.

Tres cuartas partes de la Tierra son agua, pero sólo 2.5% es agua dulce. Hay mucha agua en los océanos, pero es salada. El interés de los países, los gobiernos y los organismos internacionales se ha concentrado en las aguas dulces, las que usamos diariamente para beber y cocinar, las que se emplean para regar los cultivos, las que demanda la industria, las aguas de las que dependemos directamente para mantenernos con vida.

Cada año caen sobre la tierra 113 000 km^3 de agua dulce en forma de lluvia. Un kilómetro cúbico es una cantidad difícil de imaginar, pero equivale al agua que cabría en un gran tanque o tinaco que tuviera un kilómetro por cada uno de los lados de su base y un kilómetro de altura: es un billón de litros de agua. La mayor parte de esa precipitación se evapora y vuelve a la atmósfera; otra escurre por los ríos hasta los mares y océanos. Se trata de los recursos hídricos renovables que los hidrólogos estiman en 42 784 km^3, sin considerar las aguas dulces que están congeladas en los polos o que cubren las altas montañas y cordilleras en forma de nieve, y que por lo tanto están fuera de nuestro alcance para ser utilizadas.

Si los 42 784 km^3 se distribuyeran en forma homogénea en la superficie terrestre y se repartieran de manera equitativa entre todos los humanos del planeta (unos 6 000 millones de personas), cada uno de nosotros podría disponer de 7 000 metros cúbicos de agua al año, el equivalente a 19 000 litros diarios por persona. Por su magnitud, son cantidades que resultan poco familiares, pero podemos imaginarnos algo cercano: esa cantidad de agua por día es el equivalente a 19 grandes tinacos de 1 000 litros, de los que se usan para abasto en las casas. Una cantidad muy superior a la que un ser humano utiliza en la actualidad, aun en aquellas ciudades de alto consumo de agua.

El agua es fundamental para mantener toda la vida en el planeta y por lo tanto no puede ser acaparada por las personas, so pena de terminar con la biodiversidad de la tierra. Debemos considerar el agua que requieren los peces, las plantas, la gran diversidad de mamíferos terrestres y las aves.

El cambio climático

La mayoría de los científicos están de acuerdo en que el clima de nuestro planeta se está alterando significativamente como resultado de los altos consumos de combustibles fósiles (petróleo, gas y carbón), los cuales liberan enormes concentraciones de gases invernadero, como el dióxido de carbono, el metano, los óxidos nitrosos y los clorofluorocarbonos. Estos gases están atrapando una porción creciente de radiación infrarroja y ocasionarán un aumento de entre 1.5 y 4.5 °C en la temperatura del planeta. Este calentamiento provoca varios fenómenos que afectan el ciclo del agua, como la alteración de los patrones de lluvias y el deshielo de los polos. Gran parte de la responsabilidad por este fenómeno la tienen los países desarrollados, pues son los principales emisores de gases con efecto invernadero.

En 1997, los gobiernos firmaron el Protocolo de Kyoto, con el propósito de reducir 5.2% las emisiones de gases de efecto invernadero. Es el único mecanismo internacional para hacer frente al cambio climático y minimizar sus impactos. Contiene objetivos legalmente obligatorios para que los países industrializados reduzcan las emisiones de los seis gases de efecto invernadero de origen humano: dióxido de carbono (CO_2), metano (CH_4) y óxido nitroso (N_2O); además de tres gases industriales fluorados: hidrofluorocarbonos (HFC), perfluorocarbonos (PFC) y hexafluoruro de azufre (SF_6). En la actualidad, 129 países han ratificado el protocolo. Los gobiernos de Estados Unidos y Australia se han negado a ratificarlo, pese a que gran parte del volumen total de emisiones de gases invernadero es producida por sus poblaciones —sobre todo en el primer país—.

Vida en el agua

En comparación con su tamaño, los sistemas de aguas dulces —marismas, ríos y lagos— guardan una alta proporción de la biodiversidad, es decir, del total de especies que habitan en nuestro planeta. Diez mil de las 25 000 especies de peces conocidas viven en aguas dulces. En el Lago Baikal, en Rusia —el lago de agua dulce más grande, más profundo y más antiguo de la Tierra—, la mitad de sus 1 825 especies animales son endémicas, es decir, no se encuentran en ningún otro lugar del mundo.

Según estimaciones del Fondo Mundial de la Naturaleza (WWF, por sus siglas en inglés) la biodiversidad ha disminuido de manera catastrófica en los ecosistemas de aguas dulces: entre 1970 y 2000 se ha perdido la mitad de la población de las especies que viven en ese medio. De todas las especies de tortugas de agua dulce, 35% están amenazadas de extinción. Cuatro de las cinco especies de delfines que viven en los ríos (Amazonas, Ganges, Indo y Yang-tsé) pueden desaparecer, lo mismo que las tres especies de manatí que todavía existen.

Dos de las causas de esa amenaza sobre las especies de agua dulce tienen que ver con el manejo del agua: 1) Tanto la extracción de líquido para uso humano —agrícola, industrial o doméstico— como la contaminación de los ríos y lagunas deterioran la calidad de los cuerpos de agua y ponen en riesgo la vida de las especies que allí habitan. 2) Por otra parte, la construcción de diques, grandes plantas hidroeléctricas, drenaje de marismas y azolve de ríos también altera gravemente los hábitats acuáticos.

Los mismos organismos microscópicos requieren de humedad para vivir. Para cuidar la diversidad de las especies, el hombre debe utilizar responsablemente los volúmenes disponibles y la calidad del agua que permita su reutilización segura, garantizando el sostenimiento de los ecosistemas donde viven otros organismos. Desecar lagunas, transferir agua de una región a otra, contaminar los ríos o impedir que el agua llegue al mar, significa no sólo la afectación de los grupos sociales que viven en esos sitios, sino también la pérdida de otros seres vivos, cuya desaparición a mediano o largo plazo termina impactando a la sociedad.

El agua no se distribuye en forma homogénea en el mundo, ni durante todo el año. Tampoco la población humana está repartida por igual. Según datos de la ONU, el continente americano es el que dispone de más agua dulce: 41% de las escorrentías[1] con el 14% de la población mundial. Los países de América latina, incluido México, disponen de 30% del total mundial de agua y por ello en esta región el promedio de agua por habitante es de 30 000 metros cúbicos por año, cuatro veces el promedio mundial.

El segundo continente en volumen de agua dulce es Asia. Posee 36% del total, pero debido a que cuenta con 60% de la población del planeta, el agua disponible es mucho menor al promedio mundial. Sería un error suponer que la cantidad de agua que recibe una persona, depende solamente del agua que en forma natural está disponible a su alrededor. La pobreza, o dicho de otra manera, la gran polarización en el disfrute de los bienes en el mundo, es la causa principal de que el acceso al agua no sea equitativo. Europa, por ejemplo, cuenta con 8% de agua dulce mundial y el mismo porcentaje de población que África, 13%; este último continente posee 11% del agua. Mientras prácticamente la totalidad de la población europea

1. Escorrentía: conjunto de las aguas que se desplazan por la superficie terrestre gracias a la fuerza de gravedad.

tiene acceso al agua segura y a los sistemas de saneamiento, en África la mitad de la población no tiene agua limpia para beber, ni sistemas para desalojar los desechos. Ese contraste tan marcado llama la atención sobre la profunda desigualdad que existe entre los dos continentes así como el mayor abismo que existe entre la población de altos y bajos ingresos en África, lo que se traduce en la escasez de recursos tecnológicos y financieros, para enfrentar el abasto de agua.

En el interior de los continentes existen diferencias notables. La cuarta parte de las aguas dulces de la Tierra la aportan cinco ríos: Ganges-Bamaputra, Congo, Yantzé, Orinoco y Amazonas; este último lleva la quinta parte de la escorrentía mundial, gracias a su extensa cuenca de captación que recibe lluvias del hemisferio norte y del hemisferio sur, un caso único en el mundo. El río Congo lleva 30% de la escorrentía de África. Y seis países tienen la mayor parte de los recursos de agua dulce del planeta: Brasil, Rusia, Canadá, Estados Unidos, China y la India; juntos tienen en su territorio más de 40% de los ríos del mundo. En contraste existen países con poca agua, como Jordania, Israel y Palestina, en el Medio Oriente, y Argelia, Marruecos y la República Saharauí en el norte de África.

Distribución espacial del agua de los ríos (escorrentía)		
CONTINENTE O ZONA	ESCORRENTÍA (EN KM³/AÑO)	PORCENTAJE
Asia e Indonesia	13 510	32
Sudamérica	12 030	28
Norte y Centroamérica	7 890	18
África	4 050	9
Europa	2 900	7
Australia y Oceanía	2 404	6
Total	**42 784**	**100**

¿Qué es una cuenca?

Es una cavidad marcada en la superficie terrestre por la existencia de cadenas montañosas o elevaciones que hacen que las aguas de lluvia escurran hacia un punto, en donde forman cuerpos de agua, como ríos y lagunas. Cuando el agua que escurre por toda la cuenca, se acumula en una laguna sin tener salida al mar; hablamos entonces de cuencas endorréicas. La inmensa mayoría de las cuencas mexicanas desembocan en el mar. Dependiendo de la dirección en que desalojen sus aguas, hablamos de la vertiente del Pacífico o de la vertiente del Golfo de México. Según la ley federal vigente, la administración del agua en México debe realizarse por cuenca y con la participación de los usuarios del agua.

Una de las cuencas más grandes del mundo es la del Amazonas, con poco más de seis millones de kilómetros cuadrados.

Es compartida por siete países: Brasil, con dos tercios de la superficie (4 000 000 de km²), y Venezuela, Colombia, Guayana, Perú, Ecuador y Bolivia con el resto. Esta región se caracteriza por lluvias abundantes (de más de 2 000 mm por año), distribuidas en cuatro periodos pluviográficos, dos lluviosos y dos secos (se llama *periodo pluviográfico* al intervalo marcado por la frecuencia e intensidad de lluvias).

El río Amazonas tiene un curso ecuatorial (es decir, va bordeando la división del planeta en dos hemisferios), por lo que su caudal se alimenta de ríos cuyas cabeceras están en el hemisferio norte y de ríos que están en el hemisferio sur. Los ríos de la margen norte tienen sus mayores volúmenes de agua en junio y julio, y los más bajos entre diciembre y marzo. Los ríos del sur tienen sus niveles de agua más altos en marzo y abril, y los más bajos en agosto y octubre.

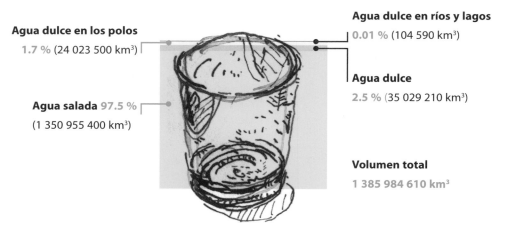

Agua dulce en los polos

1.7 % (24 023 500 km³)

Agua dulce en ríos y lagos

0.01 % (104 590 km³)

Agua dulce

2.5 % (35 029 210 km³)

Agua salada 97.5 %

(1 350 955 400 km³)

Volumen total

1 385 984 610 km³

Debido a la distribución estacional de las lluvias, los flujos de agua son diferentes según la temporada, y según los dos hemisferios de la Tierra. También influyen otros factores como la cercanía con los océanos, la presencia de montañas, la temperatura y la dirección de los vientos dominantes. En Europa, por ejemplo, la mayor parte del agua se concentra entre abril y julio (46 %), mientras que en Australia y Oceanía las lluvias ocurren entre enero y abril (46 %), y en Asia entre junio y octubre (54 %).

También pueden existir grandes diferencias entre una parte y otra de cada país. Es el caso de Chile, que tiene en el norte la región más seca del mundo, el desierto de Atacama, y en el sur cuenta con la región de los lagos que atesoran importantes volúmenes de agua dulce, los cuales escurren de la cordillera de los Andes.

La heterogeneidad en la distribución del agua en el espacio y el tiempo no es un defecto de la Tierra. Es la condición natural de nuestro planeta y contribuye a mantener la gran diversidad ambiental y biológica que conocemos. La existencia de la selva tropical, los bosques templados y los desiertos, con su fauna y flora distintas, sería imposible si el agua se distribuyera homogéneamente en la superficie terrestre. Tampoco contaríamos con la riqueza biológica de lagunas, humedales y esteros. Sólo por dar un ejemplo, México no podría contar con la amplia variedad de cactáceas que posee si en el norte y centro del país lloviera tanto como en el sureste. Es normal que exista menos humedad en los desiertos y que ocurran lluvias torrenciales y frecuentes en las selvas tropicales.

En conclusión: el agua dulce disponible para usos humanos en el planeta es bastante menor que el volumen total de agua sobre la tierra. En cuanto componente integral de la diversidad climática y la riqueza biológica de la Tierra, está desigualmente repartida en la superficie y a lo largo del año. La heterogeneidad en su distribución explica la diferente disponibilidad natural de agua por continente, país y región. Las sociedades y los gobiernos enfrentan el reto de cuidar el agua disponible y de organizar un buen aprovechamiento para garantizar el acceso equitativo de todos los habitantes a ese bien público.

Un país con lluvias abundantes, pero que contamina sus ríos con desechos urbanos e industriales, dispondrá de menos agua que otro con menos lluvia pero que protege la limpieza de sus aguas. Un país de clima seco que fomente los campos de golf, que demandan miles de litros de agua al año, difícilmente podrá tener el líquido suficiente para abastecer a todos sus habitantes. Una sociedad que no regula su crecimiento económico, podría perder sus reservas más valiosas de agua por contaminarlas con sustancias industriales peligrosas. Un país que destruye sus bosques está comprometiendo el futuro de su agua.

Desafortunadamente, situaciones como éstas se presentan con frecuencia. Son graves errores de gestión que atentan contra la población y contra el agua, porque un mal uso del líquido termina deteriorando su calidad y perturbando el ciclo hidrológico. Muchos de esos errores se cometen por la avidez de ganancias y falta de solidaridad social. Una sociedad consciente del agua de que dispone, aunque sea poca, podrá actuar en forma responsable para cuidarla y destinarla al beneficio de la población, en forma equitativa y sin discriminaciones.

El agua en México

México es un ejemplo de lo diversa que puede ser la disponibilidad natural de agua dentro de un país. Los hidrólogos calculan que nuestro país tiene 400 km³ de disponibilidad natural de agua, un poco más de 4 000 metros cúbicos anuales por persona; se trata de un promedio, pues no está disponible de la misma forma en todo el territorio nacional. En el norte y noroeste las lluvias son escasas y los terrenos secos. En la península de Baja California y el norte de Sonora llueve menos de 250 mm al año.[2] En todos los estados mexicanos que tienen frontera con Estados Unidos, la precipitación media anual es menor a los 500 mm.

Las lluvias se concentran en el sur y sureste del país. En las cuencas de los ríos Grijalva-Usumacinta, que están en los estados de Chiapas y Tabasco, caen en promedio 2 000 mm anuales de agua, cinco veces más que en Coahuila y 10 veces más que en Baja California.

2. El símbolo de milímetros cúbicos (mm) se usa para indicar los milímetros de precipitación (o altura de precipitación), es decir, el espesor en milímetros de la capa de agua acumulada sobre un suelo horizontal después de que llueve, ya sea una o varias veces; el cálculo se hace considerando que no hubiera infiltración ni evaporación y como si las precipitaciones que caen bajo forma sólida se hallaran fundidas. El volumen equivalente de un milímetro de precipitación es un litro por metro cuadrado (1 mm = 1 m²).

La contaminación del agua en México

La contaminación de los cuerpos de agua es un grave problema en el país. La mala calidad del agua superficial impide utilizarla de manera segura para el abasto humano y otras actividades como el riego de alimentos. Lo que escasea no es el agua en general, sino el agua limpia.

Aunque existe una contaminación de origen natural, en nuestro país el principal reto es la contaminación originada por las personas, que descargan aguas residuales sin tratamiento. Cálculos conservadores indican que en la actualidad 80% de los cuerpos de agua del país presentan algún indicio de contaminación.

La situación más grave está en las cuencas Lerma-Santiago y Balsas, las aguas del Valle de México (desechadas sobre el valle del Mezquital) y el sistema Cutzamala. También es mala la calidad de los ríos Pánuco, Coatzacoalcos y Papaloapan, los dos últimos afectados por constantes derrames de hidrocarburos.

En México, la industria consume 10% del agua, pero genera tres veces más contaminación orgánica que los 100 millones de habitantes. Según datos oficiales de 2004, las actividades productivas que descargan mayores volúmenes de aguas contaminadas son la acuacultura, la industria azucarera, la petrolera, los servicios y la industria química. La industria azucarera es la que produce la mayor cantidad de materia orgánica contaminante, y las industrias petrolera y química son las responsables de los contaminantes de mayor impacto ambiental.

En la selva chiapaneca hay lugares donde algunos años se han registrado hasta 5 000 mm de lluvia, mientras que en algunas zonas de Zacatecas y Nuevo León con dificultad llueven 100 mm por año.

De las lluvias anuales, 67% caen entre junio y septiembre. El estiaje[3] sucede en los meses de febrero, marzo y abril, cuando se registran las menores precipitaciones; en esa temporada, la ganadería de los estados norteños puede verse afectada por la falta de agua para los animales y disminuye el agua disponible para los sistemas de abasto urbano.

En los 39 ríos principales de nuestro país se encuentran 9 de cada 10 litros del agua que llueve en México. Los más importantes son los ríos Pánuco, Balsas, Papaloapan, Coatzacoalcos y Grijalva-Usumacinta, en las cuencas de estos ríos escurren casi las dos terceras partes del agua del territorio mexicano (245 de 400 km^3); ahí vive poco menos de la tercera parte de la población, 31 millones de personas que tienen la disponibilidad natural de agua más alta en México.

A la heterogeneidad en la disponibilidad de volúmenes de agua en el país, debemos añadir el problema de la contaminación de casi toda el agua superficial que podría aprovecharse para uso humano. En esas condiciones, la disponibilidad de agua segura (es decir, de buena calidad) para uso humano es todavía menor.

Los ríos más caudalosos son el Grijalva y el Usumacinta, ambos suman un caudal de 73 km^3 al año, que incluye el agua que recogen de los países vecinos del sur (Guatemala y Belice). Para utilizar esa agua tan heterogéneamente distribuida en el tiempo y en la superficie nacional, se tiene que poner en funcionamiento un sistema muy complejo de acuerdos que deberían resolver equitativamente las necesidades locales, regionales y nacionales. Uno de los puntos clave de ese sistema es definir quién tiene derecho al agua y las obligaciones que adquiere al utilizarla.

3. Nivel más bajo o caudal mínimo que en ciertas épocas del año tienen las aguas de un río, estero, laguna, etcétera.

Establecer el derecho al agua y las obligaciones que esto implica es uno de los puntos más importante de las leyes del país y los marcos normativos comunitarios.

Los modos de aprovechar el agua en México se rigen por el artículo 27 constitucional y su ley reglamentaria, la Ley de Aguas Nacionales, que entró en vigor en 1992 y fue reformada en marzo del 2004. De acuerdo con la Constitución, "la propiedad de las tierras y aguas comprendidas dentro de los límites del territorio nacional, corresponde originariamente a la nación". En su fracción quinta, el artículo 27 define como propiedad de la nación las de los mares territoriales, las aguas marinas interiores, las de lagunas y esteros, lagos interiores ligados a corrientes constantes, las de los ríos y sus efluentes directos cuando sirvan de límite al territorio nacional o sirvan de frontera entre entidades federativas o pasen de una entidad a otra o crucen la frontera nacional; lo mismo se marca para las aguas de lagos, lagunas o esteros que estén en condición semejante.

Son también propiedad de la nación las aguas de los manantiales que "broten en las playas, zonas marítimas, cauces, vasos o riberas de los lagos, lagunas o esteros de propiedad nacional, y las que se extraigan de las minas". La definición de aguas nacionales en la ley es tan amplia que abarca prácticamente todas las corrientes superficiales y subterráneas. El ejecutivo federal ejerce por ley, a través de la Comisión Nacional del Agua (CNA), la autoridad y administración sobre las aguas del país.

Según las leyes federales, para disponer del agua se requiere recibir una concesión o asignación por parte de la CNA. A partir de 1993 se hizo obligatorio inscribir esas concesiones en el Registro Público de Derechos de Agua (REPDA), que es el instrumento legal para saber si se tiene derecho a utilizar un volumen de agua determinado. En la actualidad están concesionadas y asignadas casi las dos terceras partes de las aguas disponibles en el territorio nacional (234.9 km^3) eso quiere decir que legalmente están destinadas para que alguien las use. A diferencia de otros países, como Chile, donde lo que se entrega es la propiedad del agua, en México sólo se concede el derecho de uso, lo que significa que legalmente el Estado mantiene la capacidad de modificar o anular esa concesión, cuando considere que se lesiona el bien público.

El gobierno federal tomó en sus manos el control de los principales volúmenes de agua del país al término de un largo proceso que abarcó los últimos años del siglo XIX y todo el siglo XX. Desplazó a los gobiernos estatales y ayuntamientos del control legal de ríos, lagunas, manantiales y acuíferos. De la misma forma, los grupos de regantes[4] y las autoridades comunitarias, fueron perdiendo capacidad de decisión frente a la ingerencia federal. Este proceso de concentración significó medidas jurídicas, políticas, técnicas y financieras, así como la construcción de grandes obras hidráulicas, en particular las presas para riego y generación de electricidad, que transformaron el curso de los ríos.

El gobierno de la república destinó inversiones importantes para edificar las grandes presas. Al frente de la construcción de esas obras, cuyo objetivo fue ampliar la superficie irrigada y aumentar la disponibilidad de energía eléctrica estuvieron la Comisión Nacional de Irrigación (después la Secretaría de Recursos Hidráulicos) y la Comisión Federal de Electricidad. De esa manera, creció significativamente la superficie dedicada a la agricultura de riego entre 1920 y 1970, y aumentaron los volúmenes de energía eléctrica disponible para el consumo industrial y urbano.

En la actualidad esos siguen siendo los principales destinos del agua. Así, 64% de las aguas concesionadas se utilizan en la generación de energía eléctrica y 29% para el riego de cultivos. El resto se distribuye entre uso industrial y doméstico (para consumo humano).

Hasta finales de la década de los ochenta del siglo XX, la ley prácticamente no contemplaba la participación social en la toma de las decisiones sobre el agua. A los grupos afectados por

4. Agricultor que utiliza algún sistema de riego para sus cultivos.

una u otra decisión, sólo les quedaba el camino de la protesta abierta como mecanismo para ser tomados en cuenta. Esta situación ha vuelto particularmente complicada la gestión del agua, pues la legitimidad de las decisiones está constantemente puesta en duda, ante la escasa representatividad de las personas que deciden y la manera discrecional o arbitraria en que lo hacen. Generalmente los grupos con mayor poder político y económico tendrán más posibilidades de ser tomados en cuenta por las agencias gubernamentales. Por el contrario, los grupos de campesinos, los vecinos de colonias populares de la ciudad, los inmigrantes, así como las comunidades indígenas, son poco escuchados y generalmente sus demandas de agua no son atendidas. En el ámbito internacional se reconoce que la solución de los problemas vinculados con la administración del agua pasa por el ejercicio pleno de los derechos y obligaciones políticas de los ciudadanos de un país; es decir, éste es un tema estrechamente relacionado con el ejercicio de la democracia.

A fines de los años ochenta, el gobierno federal realizó modificaciones institucionales encaminadas principalmente a delegar la responsabilidad financiera en los regantes y consumidores urbanos; esto quiere decir que a los usuarios les toca pagar más por el agua. La ley de 1992 otorgó a la CNA la tarea de promover y apoyar la organización "para mejorar el aprovechamiento del agua y la preservación y control de su calidad", e instauró los organismos llamados *consejos de cuenca* como instancias de coordinación y acuerdo entre la CNA, los distintos niveles de gobierno estatal y municipal y los usuarios. Con el fin de mejorar la administración del agua, se impuso el cobro de tarifas más altas por usarla. Lo cierto es que esos organismos no logran todavía representar a los usuarios, en parte porque durante los últimos 70 años los dirigentes de las corporaciones y organizaciones oficiales no cuidaron los intereses de la gente sino que se beneficiaron con los cargos. Esta situación significa que los integrantes de esos consejos tienen todavía mucho camino por andar para hacer oír la voz de sus representados.

Otras formas de repartir el agua

No todo lo relacionado con el agua es decidido por las autoridades federales o estatales. Muchos asuntos son arreglados por los grupos de regantes, las autoridades comunitarias, vecinales o municipales, de acuerdo con sus costumbres y normas consuetudinarias.

La historia de los modos de aprovechar el agua muestra que cuando el gobierno federal tomó el control de algunos ríos y lagos, lo que generalmente hizo fue oficializar las reglas de uso que tenían desde mucho tiempo atrás los propios vecinos.

Existen ejemplos de que el uso de un manantial para abastecer varias poblaciones o el cuidado para que todos los regantes sean beneficiados con equidad por el agua de un arroyo o cooperen para evitar su contaminación, se facilita cuando ellos mismos fijan las reglas y vigilan que se cumplan. Todo indica que no hay mejor camino para prevenir la contaminación de un manantial, que la vigilancia y sanción que practica el propio grupo de personas que bebe de sus aguas.

En el caso del agua, como en el de los bosques y otros bienes comunes, se ha demostrado que los funcionarios del Estado no lo pueden todo y que muchos asuntos se arreglan mejor aprovechando las normas locales. Mediante esas normas se obliga a que los beneficiarios de un manantial realicen trabajos colectivos para limpiarlo, no talen árboles y, en caso de disminución del agua, se repartan las pérdidas.

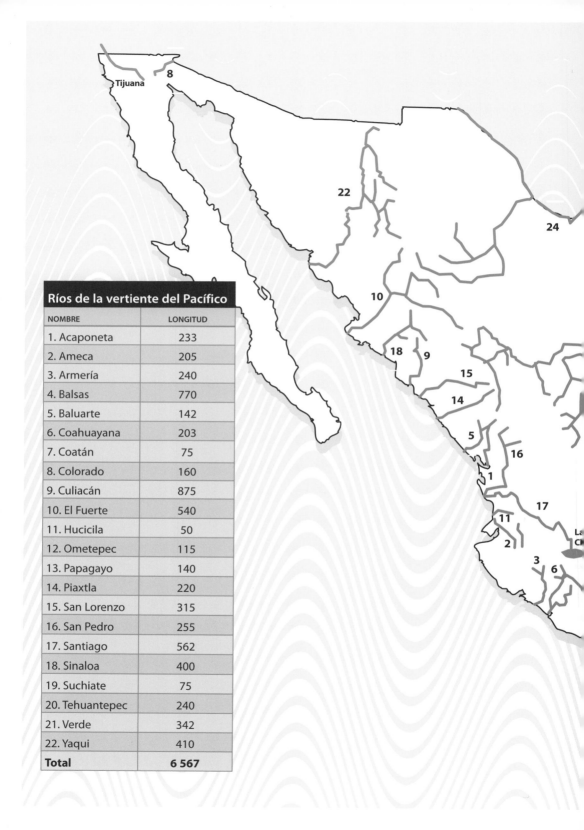

Tijuana

8

22

24

10

18 9

15

14

5

16

1

17

11

2

3 6

La
Ch

Ríos de la vertiente del Pacífico

NOMBRE	LONGITUD
1. Acaponeta	233
2. Ameca	205
3. Armería	240
4. Balsas	770
5. Baluarte	142
6. Coahuayana	203
7. Coatán	75
8. Colorado	160
9. Culiacán	875
10. El Fuerte	540
11. Hucicila	50
12. Ometepec	115
13. Papagayo	140
14. Piaxtla	220
15. San Lorenzo	315
16. San Pedro	255
17. Santiago	562
18. Sinaloa	400
19. Suchiate	75
20. Tehuantepec	240
21. Verde	342
22. Yaqui	410
Total	**6 567**

Principales ríos de México

Fuente: Subdirección General de Programación (SGP),
Comisión Nacional del Agua (CNA)

Ríos de la vertiente del golfo de México	
NOMBRE	LONGITUD
23. Antigua	139
24. Bravo	2 018
25. Candelaria	150
26. Cazones	145
27. Coatzacoalcos	325
28. Grijalva-Usumacinta	1 521
29. Nautla	124
30. Pánuco	510
31. Papaloapan	354
32. San Fernando	400
33. Soto la Marina	416
34. Tecolutla	375
35. Tonalá	82
36. Tuxpan	150
Total	**6 709**

El agua como
derecho humano

La diferente disponibilidad de agua dulce en el espacio y en el tiempo provoca que la gente compita para usarla de un modo o de otro; entre los usos o destinos más frecuentes están el doméstico, el riego, la ganadería, la generación de electricidad, los procesos industriales, la conservación de lagunas y ríos, la protección de ecosistemas y biodiversidad, la conservación de la riqueza pesquera, la preservación de sitios sagrados y lugares para descansar y disfrutar los paisajes. Cada grupo de personas busca que el agua se destine para los usos que le benefician.

Algunos organismos como el Fondo Monetario Internacional (FMI) y el Banco Mundial, piensan que el mejor uso del agua significa destinarla a las actividades más rentables, es decir, las que proporcionan más ganancias. Proponen que el abasto para consumo humano se organice de acuerdo con las leyes del mercado, estableciendo tarifas más altas con el argumento de que eso impediría el desperdicio del agua en los hogares. Pero hay otras voces que consideran el acceso al agua como un derecho humano fundamental y piensan que es un deber prioritario de los gobiernos destinar cantidades suficientes del agua de mejor calidad para mantener la vida de hombres y mujeres, así como garantizar la salud de los ecosistemas donde vivimos. Algunos países como Sudáfrica y Uruguay han incorporado como un derecho constitucional el acceso humano al agua. Proteger el derecho humano al agua es una obligación que los gobiernos no deben soslayar. La política de entregar o dejar en manos privadas el abasto de agua

La guerra del agua en Cochabamba

Al amparo de una nueva Ley de Agua Potable y Alcantarillado Sanitario, en octubre de 1999 el gobierno boliviano otorgó al consorcio privado internacional Aguas del Tunari (filial de la empresa estadounidense Bechtel), la concesión para la distribución del agua en la ciudad de Cochabamba, con el argumento de que era la mejor forma de solucionar la crónica escasez de agua en la región. En noviembre del mismo año, las organizaciones populares y ambientalistas hicieron públicas sus críticas a la decisión y realizaron el primer bloqueo campesino y de regantes en las vías de acceso a la ciudad. Se inició así lo que ahora se conoce como la Guerra del Agua. Los principales actores locales de esta movilización fueron la Coordinadora Departamental del Agua y la Vida y la Federación Departamental Cochabambina de Regantes.

El descontento de los habitantes estaba fundado en los siguientes hechos: la Ley no respetaba los sistemas tradicionales de manejo del agua que realizan los regantes y comunidades de la región; la empresa Aguas del Tunari prohibió el funcionamiento de sistemas alternativos de distribución de agua, mediante el que se abastecían muchos pueblos; y con el argumento de la recuperación total de costos, la empresa impuso tarifas impagables, sin que las autoridades locales pudieran controlarla, pues la Ley Nacional de Agua quitó a los municipios cualquier papel en ese ámbito. La empresa fijó arbitrariamente tarifas muy altas para recuperar sus costos, mientras no reconocía el aporte comunitario que (en trabajo y dinero) había servido para construir las obras de almacenaje y conducción que recibió del gobierno central. El colmo fue que Aguas del Tunari demandó frente a los tribunales a los vecinos que recogían aguas de lluvia, bajo el argumento de que el gobierno boliviano le había entregado la concesión de toda el agua.

La ola de protestas y bloqueos continuó durante los primeros meses del 2000, pese a la represión gubernamental que dejó muertos, heridos y detenidos entre los manifestantes. En abril del 2000, luego del bloqueo indefinido de Cochabamba y ante una fuerte presión social, la empresa Aguas del Tunari se retiró de Bolivia y el Gobierno se vio obligado a modificar la Ley de Agua.

para uso humano ha tenido resultados poco alentadores debido a la voracidad de las empresas involucradas, como en el caso de Cochabamba, en Bolivia.

En enero de 2003, la ONU estableció que "el agua es un recurso natural limitado y un bien público fundamental para la vida y la salud. El derecho humano al agua —dice en su declaración— es indispensable para vivir dignamente y es condición previa para la realización de otros derechos humanos". Esto significa que se debe garantizar que esté disponible de manera continua y suficiente para los usos personales y domésticos; que debe ser apta para el consumo humano (es decir, no amenazar la salud), y debe permanecer accesible al conjunto de la población, sin discriminación por motivos físicos, económicos o sociales.

¿Qué volumen debe reservarse para uso humano? ¿Cuánta agua requiere una persona para vivir con dignidad y bienestar? Una forma de responder estas preguntas es calculando el agua que una persona necesita para sus procesos metabólicos, conservar la temperatura del cuerpo, mantener la piel con la humedad necesaria para proteger su organismo y asearse. Definir una porción no es sencillo: la cantidad de agua cambiará con la edad del individuo, sus actividades, el clima del lugar donde habita, la temporada del año en que se realice el cálculo, su dieta, sus hábitos higiénicos, sus condiciones de salud y muchos otros factores.

En condiciones de gran heterogeneidad ambiental y social, es imposible establecer un número válido para todo el mundo. No se trata sólo de no morir de sed, sino de asegurar un mínimo de bienestar. El bienestar no es un cálculo biológico, fisiológico, sino social. Se refiere a lo que durante una época histórica, una sociedad juzga indispensable en términos de dieta, salud, higiene y la conservación de un ambiente limpio y seguro. Los científicos sociales se han percatado, por ejemplo, de que los pueblos de la selva amazónica y los esquimales tienen percepciones diferentes sobre el agua que necesitan. Esas diferencias de percepción se registran también en otros casos. Una localidad indígena de la selva chiapaneca o de la huasteca en Hidalgo, puede estar satisfecha con 50 litros diarios por persona, mientras en una colonia residencial de la ciudad de México, esa cantidad no alcanzará ni para llenar la tina de baño.

Aunque el campesino se encuentre satisfecho con 50 litros diarios de agua, sobre todo si los recibe después de muchos años de trámites y contratiempos para llevar agua a su pueblo, en términos sociales sabemos que disponer solamente de esa cantidad significa altos riesgos para la salud, en especial la de los niños. También deberíamos estar conscientes de lo superfluo que resulta el gasto de 200 o 300 litros para que una persona disfrute de un jacuzzi, cuando no están cubiertas las necesidades básicas de todos los habitantes de una ciudad.

La importancia del agua para la salud es un conocimiento compartido, construido durante los dos últimos siglos por la llamada higiene científica, la cual está ligada al nombre de Luis Pasteur y otros científicos que probaron la existencia de relaciones de causa y efecto entre contaminación por bacterias y enfermedades. En el siglo XIX esta corriente estableció que el consumo de agua bacteriológicamente segura y la costumbre del aseo personal mediante el baño repercutían en el mejoramiento de las condiciones de salud de la población. Esas ideas modificaron de manera radical la demanda de agua de las ciudades. En 1800 París consumía 1.3 litros diarios de agua por habitante; en 1831 esa cantidad subió un poco (5.5 litros) y luego aumento a 114 litros, en 1873. A principios del siglo XX París utilizaba 249 litros de agua por habitante por día.

La Organización Panamericana de la Salud (OPS) calculó que en nuestro continente cada persona debería disponer al menos de 80 litros de agua por día. Esa estimación (llamada disponibilidad promedio mínima) incluye el agua para asegurar las condiciones higiénicas básicas. Se trata de una cantidad bastante moderada, si consideramos que algunos organismos gubernamentales afirman que en México hay ciudades que

Cuando bañarse era peligroso

En el siglo XVIII, antes de que el agua fuera considerada fundamental para la limpieza y la salud, se podían escuchar las siguientes recomendaciones:

Cuando se trate de dar flexibilidad a los pelos de la cabeza, habrá que emplear el lavado con gran prudencia… Es mejor utilizar fricciones con salvado de trigo tostado en la sartén, renovando con frecuencia la operación o, si no, se debe extender por encima y por entre el cabello un poco de polvos desecativos y detersivos en el momento de acostarse y por la mañana se debe quitar con el peine.

***

Es un acto de limpieza enjugarse el rostro por las mañanas con un trapo blanco para quitarle la mugre. Menos bueno es lavarse con agua, pues ésta hace que el rostro sea sensible al frío en invierno y se curta en verano.

***

Para remediar este hedor de las axilas, que huelen a chivo, es conveniente ungir y frotar la piel con trociscos de rosas.

Se recomendaba también evitar el baño porque el agua penetraba la piel y abría sus poros, "dejando al cuerpo débil, a merced del aire infesto que puede contaminarlo". Cuando por razones médicas era estrictamente indispensable bañarse, había que cuidarse de no salir, protegerse con vestidos adecuados y guardar reposo.

Tomado de Georges Vigarello, *Lo limpio y lo sucio. La higiene del cuerpo desde la Edad Media,* Alianza Editorial, Madrid ,1991.

demandan más de 200 litros por habitante. Esa gran disparidad se debe a un error que se comete con frecuencia: confundir el consumo doméstico por persona, con el uso urbano del agua.

Para la ciudad de San Luis Potosí, por ejemplo, los datos oficiales registran un consumo de 210 litros por habitante, por día. El dato se obtiene dividiendo la cantidad de agua que ingresa al sistema de distribución, entre el total de habitantes de la ciudad. Pero es un error suponer que el resultado sea lo que demanda o utiliza una persona, o un hogar. La mayoría de los habitantes de esa ciudad jamás recibirá los 210 litros diarios que se calculan, y para muchos incluso será difícil obtener los 80 litros recomendados por la OPS. Lo mismo sucede en otras ciudades del país.

Las ciudades, como sistemas urbanos, tienen una demanda propia que incrementa en forma excesiva la diferencia entre el agua que ingresa a la red de distribución y lo que realmente utilizan las personas. Las redes urbanas de agua (las tuberías por donde se distribuye hacia todas las colonias y hogares) exigen un volumen de líquido para mantener la presión que hace funcionar los sistemas de conducción, y pierden por fugas una importante cantidad del agua que conducen.

Según cálculos oficiales, en México esas fugas alcanzan en promedio 40% del total. Adicionalmente, el agua que circula en la red de las ciudades mexicanas no se destina únicamente para uso doméstico, pues de ella se abastecen también industrias y empresas de servicios.

El uso urbano del agua exige volúmenes muy por arriba de lo que realmente llega a manos de las personas. En sistemas urbanos sin planificación, o donde la planificación sólo responde al criterio de asegurar grandes negocios inmobiliarios, será mayor el riesgo de aumentar la diferencia entre el agua que demanda el sistema de conducción y lo que utilizan los hogares y cada habitante de la ciudad.

¿Cuánta agua llega realmente para uso humano? Es una pregunta con respuestas distintas si se vive en la ciudad o en una ranchería o pequeña población. La situación se aprecia más claramente si se toma en cuenta el caso de las poblaciones indígenas. Según estimaciones oficiales, en el año 2000 42% de las viviendas indígenas de México carecían de abastecimiento de agua y 70% no tenía servicios de saneamiento. Esto explica el brote de enfermedades como el cólera, la persistencia de la tifoidea y la presencia en México de una amplia gama de enfermedades gastrointestinales.

El incremento en la morbilidad[5] y la ausencia de atención médica comunitaria han tenido un impacto directo en la tasa de mortalidad infantil, que en las regiones indígenas está sensiblemente por arriba del promedio nacional.

En el municipio de Santa Catarina, San Luis Potosí, en la región que concentra la mayoría de la población de lengua pame de México, las familias indígenas carecen del abastecimiento regular de agua para uso humano. En la comunidad de La Parada, por ejemplo, la mayor parte del año las mujeres y niños deben caminar más de una hora al pozo del que se abastecen, porque el agua del río Santa María, en el fondo de una pendiente escarpada, además de contaminada, no puede ser utilizada debido a las fallas frecuentes del sistema de bombeo, que nunca funcionó bien desde que lo instalaron. Los cerca de 500 habitantes de esta población reciben agua de mala calidad, pues tampoco el pozo se encuentra en buenas condiciones.

En el mismo municipio, los habitantes de Paso de Botello, arriesgan su salud tomando directamente agua del río Santa

---

5. Proporción de personas que enferman en un sitio y tiempo determinado.

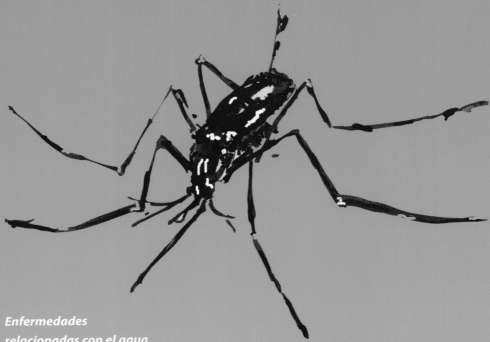

Enfermedades relacionadas con el agua

Establecer lazos causales entre enfermedades y aguas contaminadas no fue un proceso sencillo. Se necesitó acumular un conjunto de conocimientos sobre el comportamiento del agua y sobre las mismas enfermedades. Actualmente los organismos mundiales especializados reconocen medio centenar de enfermedades relacionadas con el agua, que en términos generales clasifican en cuatro grupos:

1. Enfermedades originadas por la ingestión de alimentos regados con aguas contaminadas, tales como fiebre tifoidea, hepatitis infecciosa, amibiasis y cólera.

2. Enfermedades propagadas por contacto con agua contaminada, como la sarna, la disentería, el cólera y el tracoma.

3. Enfermedades adquiridas por contacto con organismos criados en el agua; por ejemplo, la esquistosomiasis.
La esquistosomiasis es una enfermedad parasitaria (producida por un gusano platelminto) relativamente común en los países en vías de desarrollo, especialmente en África. Este gusano, llamado *Schistosoma* (o esquistosoma), causa altas temperaturas que incapacitan al enfermo. En los países pobres la gente adquiere la enfermedad porque se ven en la necesidad de bañarse en lagos y charcas que están invadidas por estos y otros parásitos.

4. Males propagados por insectos que se crían en el agua, de los cuales la malaria y el dengue son dos ejemplos.

María, pues no consideran que sea mejor contar con un sistema de bombeo caro y que a menudo fallaría por falta de luz. Los habitantes de Las Lagunitas, por su parte, tienen que trasladarse durante tres horas (ida y vuelta) hasta un manantial para acarrear el agua, ya sea que tengan una bestia de carga o deban llevarla sobre las espaldas, debido a que los manantiales que antes los abastecían se han secado por completo.

Las dificultades para el abastecimiento de agua segura son frecuentes en las comunidades de huicholes, en Nayarit y Jalisco. Hasta la fecha, los múltiples programas de inversión gubernamental que se han anunciado no han entregado resultados. Lo mismo sucede en la sierra purépecha o entre los pueblos otomíes de Querétaro, por mencionar sólo algunos de los casos más graves. Pero no son los únicos. Prácticamente en todo el territorio nacional las pequeñas poblaciones rurales, y en particular las habitadas por pueblos indígenas, enfrentan graves dificultades para abastecerse de agua limpia en cantidades suficientes.

La falta de abastecimiento de agua de calidad segura para pueblos y comunidades indígenas y campesinas se ha querido explicar tomando como pretexto la dispersión de los asentamientos: se afirma que no existen suficientes recursos para invertir en sistemas capaces de atender núcleos de población muy pequeños. El problema no puede reducirse a la dispersión, que es un elemento importante, pero no el más significativo.

El mal estado del abasto de agua en los pueblos indígenas o en las pequeñas localidades campesinas se explica por los procesos de reapropiación del agua y del territorio; ambos factores secaron sus manantiales o sus lagos, los obligaron a asentarse en las partes más secas o agrestes de las regiones donde normalmente han vivido; o bien, contaminaron los ríos y lagunas que antes aprovechaban.

El ejemplo más claro del primer proceso es la parte alta de la cuenca del Lerma, de donde se lleva el agua a la ciudad de México.

Secar los lagos

El manejo prehispánico del sistema lacustre del valle de México implicaba un sofisticado conocimiento de sus características y la construcción de un saber técnico depurado, de tal manera que los habitantes de la región podían regular las crecidas y asegurar agua en las sequías; utilizar canales y lagos para la pesca, la caza y el transporte; sostener un sistema agrícola como las chinampas e impedir que se mezclaran las aguas dulces con las salobres, entre otras cosas. Para los españoles, por el contrario, el medio resultó hostil y potencialmente riesgoso. Por una parte temían que los indígenas sometidos destruyeran diques para ahogar a las tropas del poder colonial o que utilizaran sus conocimientos del terreno para enfrentarlos en mejores condiciones en alguna muy posible rebelión. La llegada de los españoles a la cuenca del valle de México marcó la alteración del equilibrio lacustre mantenido por las poblaciones indígenas. El geógrafo y urbanista Alain Musset describe así lo ocurrido:

Los indios, gente del agua, sabían aprovechar los recursos que los lagos ofrecían. Los españoles, gente de tierra, nunca lograron adaptarse a su nuevo medio. Si bien los paisajes urbanos de la ciudad de México en la época colonial podían evocar Venecia, la ciudad se mantenía ajena a las lagunas que la rodeaban. La mayor parte del pescado consumido por los españoles se hacía

traer de la costa del Golfo, mientras que los indígenas de los poblados aledaños pescaban y cazaban en las lagunas. A diferencia de los nuevos amos del valle, ellos habían sabido desarrollar verdaderas sociedades lacustres y sabían aprovechar de manera óptima un medio rico pero frágil, que requería de cuidados constantes... el equilibrio del medio natural de la cuenca del valle de México implicaba conocimientos técnicos de los que carecían los españoles. Los diques y las calzadas descritos por Cortés... actuaban sobre el nivel y lo controlaban como vasos comunicantes. Gracias a una especie de esclusas, no estorbaban la navegación lacustre, tan importante en aquellos días.

De tal manera, las inundaciones tan temidas por los conquistadores generalmente no tenían más que repercusiones menores en la vida de las comunidades lacustres...

Ante las primeras inundaciones, la administración colonial decidió desaguar la cuenca. Esa política se prolongó durante el México independiente. Desde 1607 y hasta 1975, las autoridades de la Ciudad de México se empeñaron primero en sacar el agua de los lagos y después las aguas negras del drenaje citadino.

Tomado de Alain Musset, *El agua en el valle de México. Siglos XVI-XVIII*, Pórtico de la Ciudad de México-CEMCA, México, 1992.

Llevar el agua de la cuenca del Lerma a la capital significó para los habitantes de la zona la pérdida de cientos de manantiales y norias[6] de donde se abastecían los pequeños ranchos, comunidades y pueblos. La desecación de esas fuentes propias fue el detonante de las exigencias para tener acceso a otros sistemas de abasto a partir de pozos profundos que emplean bombas eléctricas.

Otros pueblos vieron deteriorarse la calidad de los arroyos y norias de los que tomaban su agua. Un ejemplo fue lo sucedido con las aguas limpias del río Tula, en el estado de Hidalgo, que abastecían a comunidades ribereñas otomíes en el valle del Mezquital. Las aguas residuales de la capital del país, contaminaron muchos manantiales, como los del municipio de Tezontepec y las norias que existen a lo largo de la ribera, en el municipio de Tula, y de otros cuerpos de agua aledaños.

De manera semejante, las industrias petrolera y petroquímica también han sido responsables de la pérdida de fuentes de abastecimiento de muchas comunidades indígenas y mestizas en México, sobre todo en la vertiente del Golfo. La contaminación de fuentes superficiales, el desecamiento de manantiales y

6. Una noria es un pozo que explota la parte superior de un acuífero; se les llama también *pozos artesianos* porque extraen el agua de la napa artesiana (capa superficial). Generalmente se excavan a mano y se les construye un brocal (barandal o antepecho) que lo rodea.

las reubicaciones forzosas o inducidas han moldeado un escenario de múltiples comunidades que hoy no tienen a la mano fuentes seguras para abastecerse por sí mismas de agua limpia.

Actualmente la disponibilidad de agua en el mundo y en un país difiere mucho de un lugar a otro y las ciudades más grandes y pobladas se convierten en poderosas fuerzas de presión sobre los recursos de agua disponibles en el entorno. En América Latina, 13 grandes ciudades concentran la cuarta parte de la población total del subcontinente. Por su número de habitantes, encabezan la lista São Paulo, la ciudad de México y el Gran Buenos Aires. Se trata de un caso de concentración demográfica alarmante, que no tiene comparación con las ciudades más pobladas de países que cuentan con un mayor número de habitantes.

Algunos estudiosos opinan que en México la crisis del agua es expresión del estilo de crecimiento urbano del país, es decir, de la manera en que se han formado nuestras ciudades. En la actualidad, las ciudades mexicanas más pobladas enfrentan graves problemas para garantizar el abasto regular de agua a sus habitantes. Guadalajara, Tijuana, Puebla, León, Aguascalientes, Hermosillo, San Luis Potosí, Querétaro, Monterrey, Ciudad Juárez y por supuesto el Distrito Federal son algunas de las ciudades que extraen del subsuelo o importan desde otras regiones —o ambas cosas a la vez— volúmenes crecientes de agua para sus habitantes y para las actividades industriales y comerciales que albergan. Sorprende que pese a las dificultades para obtener agua en esos sitios, las autoridades federales y estatales no hagan nada para evitar el crecimiento de esa demanda; por el contrario, fomentan el establecimiento de industrias de alto consumo de agua o que son importantes contaminadores de las corrientes (como la industria del cemento, la química y la automotriz), permiten la invasión de las zonas de recarga de los acuíferos y proporcionan incentivos a la especulación inmobiliaria que hace crecer la mancha urbana.

La mitad del agua que abastece Monterrey se extrae de los acuíferos, y la otra mitad del agua superficial que consume la ciudad proviene de la presa El Cuchillo, construida en los límites con Tamaulipas. El uso urbano del agua de El Cuchillo ha ocasionado múltiples conflictos sociales, pues antes de construir la presa esa agua era utilizada por los agricultores de un distrito de riego en Tamaulipas.

Del agua que se consume en la ciudad de San Luis Potosí, 90% proviene del acuífero que está en su subsuelo. Las tasas de extracción han crecido tanto en los últimos 25 años que una parte del agua que se extrae está contaminada con flúor, lo que ocasiona problemas de fluorosis dental (manchas de los dientes) a la población local y puede tener efectos más graves en el sistema óseo de las personas. El abasto de Tijuana depende casi por completo (95%) del agua que toma desde muy lejos, de la cuenca del río Colorado, y que conduce desde el valle de Mexicali por un acueducto de 185 kilómetros que atraviesa la sierra de la Rumorosa.

Con todo, el ejemplo más crítico es la ciudad de México. Originalmente asentada en un valle con abundante agua superficial, que formaba un amplio sistema lacustre, la capital

del país dedicó sus esfuerzos a desecar esos lagos y ahora está hundiéndose por la extracción de agua que realiza de su propio suelo, a la vez que importa agua desde muy lejos. Setenta por ciento del agua que utiliza la extrae de 3 000 pozos que están en el valle de México. El restante 30% proviene de sitios lejanos: los pozos que perforó en la parte alta de la cuenca del río Lerma y las presas del sistema Cutzamala. La importación a la capital del país de agua del valle donde nace el río Lerma significó secar los manantiales que abastecían una actividad agrícola importante, que daba sustento a los campesinos de aquella zona en el valle de Toluca.

Frente a todos los problemas señalados, una corriente de urbanistas piensa que lo sensato es construir las ciudades donde hay más disponibilidad de agua y evitar que todas las ciudades crezcan hasta niveles donde amenazan el entorno por el deterioro ambiental que genera su manera de abastecerse. En cualquier caso, es necesario subrayar que el acceso al agua ha sido incorporado por la ONU como derecho humano y por lo tanto los gobiernos están obligados a garantizarlo. Ese fin es uno de los ejes que debería organizar las estrategias de largo plazo en la gestión del agua.

El agua nuestra
de cada día

Además de saciar la sed, el agua apacigua el hambre. Junto al sol, la tierra y el trabajo, el agua es el elemento más importante para producir alimentos. Algunas técnicas agronómicas, como la hidroponia, han conseguido prescindir parcialmente del suelo, pero ningún cultivo puede prescindir del agua. Algunas instituciones aseguran que la agricultura es la principal responsable de la crisis del agua, por tratarse de una actividad que consume importantes volúmenes del líquido. No es una apreciación justa, pues ni la agricultura se practica de la misma forma en todos lados ni todos los agricultores usan grandes cantidades de agua; además, las características del agua varían de un sitio a otro. Para valorar el problema también debemos tomar en cuenta cuál es el destino de los productos.

La superficie agrícola en México está calculada en 30 millones de hectáreas. De ellas, una quinta parte cuenta con riego: seis millones y medio de hectáreas organizadas en 82 distritos y casi 30 000 unidades de riego. Los poco menos de 24 millones de hectáreas restantes son de temporal; es decir, aprovechan directamente el agua de lluvia. El desastre agrícola del país se hace más y más grave, pues cada año disminuye la superficie sembrada; unas 50 000 hectáreas se encuentran abandonadas porque sus propietarios han emigrado o porque los altos costos de producción no corresponden con los bajos precios que reciben por sus cosechas.

En las tierras de temporal las plantas crecen con la humedad que proporcionan las lluvias. Por lo general se trata de tierras localizadas en laderas, algunas muy inclinadas, donde no se puede llevar el riego o donde la temporada de lluvias basta para los cultivos. En esas tierras, los agricultores siembran sobre todo maíz, frijol, garbanzo, haba, nopales y algunos cultivos comerciales como el café. La agricultura de temporal produce la mitad de las cosechas y abastece de alimentos a los propios campesinos y a los mercados locales y regionales. Hasta hoy no se ha valorado lo suficiente lo que la agricultura de temporal aporta al país y algunos organismos gubernamentales consideran a los campesinos de esas tierras como atrasados o ineficientes. Sin embargo, otros reconocen que las cosechas de la superficie de temporal forman parte importante de la alimentación de las propias familias del campo y contribuyen al abasto de los mercados locales.

La otra mitad de productos agrícolas proviene de la superficie regada. Con riego se siembran granos de consumo humano como el maíz y el trigo. Sin embargo, las extensiones más amplias están dedicadas a los forrajes (alimentos para ganado), como el sorgo, la cebada y la alfalfa; ahora, cada vez se usa más terreno para cultivar hortalizas y frutas de exportación. La superficie irrigada se concentra en el norte del país y tiene la mejor infraestructura hidráulica, construida a partir de 1940 con el respaldo de una cuantiosa inversión del gobierno federal. Sinaloa y Sonora son los estados con mayor superficie de riego sembrada: 755 mil hectáreas el primero y 531 mil el segundo. El tercer estado es Guanajuato, con 478 mil hectáreas de riego. Muy lejos están Veracruz con 87 mil hectáreas, Oaxaca con 81 mil y Chiapas con 60 mil. De las tierras irrigadas, dos terceras partes utilizan aguas superficiales almacenadas en las presas. La otra tercera parte consume el agua que se obtiene de decenas de miles de pozos. Dos millones de hectáreas de riego utilizan las dos terceras partes del agua que se extrae del subsuelo. La otra tercera parte del agua subterránea la consumen las ciudades.

Los acuíferos agotados

Un acuífero es una capa del subsuelo capaz de transportar y contener un volumen significativo de agua subterránea. La mayoría de los geohidrólogos aceptan que en México la sobreexplotación de los acuíferos (es decir, sacar mucha más agua de la que vuelve a ellos) es grave. De los 654 acuíferos que existen en nuestro país, en 1975 ya estaban sobreexplotados 35. La cifra se elevó a 36 en 1981, a 80 en 1985 y a 96 en el año 2000. Los acuíferos sobreexplotados se concentran en el Distrito Federal y los estados de Baja California, Sonora, Sinaloa, Chihuahua, Coahuila, Zacatecas, Durango, San Luis Potosí, Nuevo León, Tamaulipas, Aguascalientes, Querétaro, Estado de México, Michoacán, Guanajuato y Jalisco. Debido a los *vacíos* que deja en el cuerpo de agua la sobreexplotación, 17 acuíferos tienen problemas de intrusión salina (entran a ellos aguas saladas del mar); esto ocurre sobre todo en los acuíferos que se localizan en las costas de Baja California, Baja California Sur, Sonora, Veracruz y Colima. En amplias zonas de riego la sobreexplotación ocasionó que los niveles de agua subterránea bajaran por decenas de metros; es el caso de los acuíferos de Maneadero y Camalú, en Baja California, o el acuífero de la costa de Hermosillo.

En los últimos 30 años las decisiones de gobierno abrieron casi por completo el mercado nacional a todo tipo de productos agropecuarios del extranjero, eso motivó un cambio fundamental en las tierras irrigadas: la superficie dedicada a los cultivos básicos ha disminuido porque ahora cada vez se compran más alimentos básicos en el extranjero, incluyendo el maíz; a esto se suma la siembra de hortalizas y frutas de exportación que mencionamos antes, la cual ha aumentado y sus productos se venden principalmente en el mercado estadounidense. Lo paradójico es que los cultivos comerciales cuya superficie creció son los que demandan más agua, como las hortalizas (jitomate, brócoli, acelgas, entre otras) y las frutas tropicales (mango, plátano, cítricos, etcétera). No sólo estamos enviando productos agrícolas al extranjero, en cierta forma también estamos enviado al exterior el agua del país (la que va en los frutos y la que se usó para hacerlos crecer).

Es insostenible pensar que la agricultura de temporal es responsable de la crisis del agua, como han afirmado quienes califican como atrasados e ineficientes a los campesinos. Por el contrario, aprovecha las lluvias, el agua que de manera natural escurre sobre la superficie terrestre y que no se almacena para otros usos. Adicionalmente, algunas prácticas agrícolas, como el *cajeteo* en las laderas de Oaxaca para sembrar maíz, favorecen la conservación de la humedad en las pendientes y contribuyen a evitar la pérdida de suelos. Antes que una afectación, la agricultura de temporal bien hecha puede significar beneficios económicos, ambientales y sociales para los campesinos. Esos sistemas de cultivo exigen un conocimiento complejo por parte de los agricultores: deben saber qué semillas utilizar, en qué momento empezar la preparación del terreno, cuándo sembrar, cómo conservar la humedad que provocan las lluvias, qué tipo de cultivos puede sembrarse juntos y muchos otros aspectos. Desafortunadamente una parte de esos conocimientos se está perdiendo, porque estos saberes no son valorados y porque la gente se ve obligada a dedicarse a otras actividades.

El cultivo del maíz

Cómo no es posible predecir con exactitud cuándo lloverá, los agricultores de temporal, en especial los que pertenecen a las comunidades indígenas, desarrollaron durante muchos años el conocimiento para usar distintos tipos de maíz. En la Montaña de Guerrero, por ejemplo, se utilizan cuando menos seis variantes: maíz blanco ovalado (iztactzin), maíz amarillo redondo (cotzin), maíz rojizo ovalado (xocoyoltzin), maíz morado ovalado (yautzin), maíz blanco ovalado de crecimiento rápido (toxtli) y maíz granizado (colotzi).

Cuando un especialista notó que en Tlaxcala los agricultores sembraban una mezcla de maíces, preguntó cuál era el de cosecha más rápida. Le respondieron: el amarillo de cinco meses, el morado de seis y el blanco de siete. Preguntó entonces, ¿cuál rinde más? El viejo campesino le respondió:

—El amarillo poco, el morado un poco más y el blanco es mejor.

—¿Y por qué no siembra puro blanco en lugar de esta revoltura?

El viejo sonrió mostrando unos dientes cristalinos y pequeños como los granos de maíz reventador.

—Eso es lo que dijo mi hijo. Pero, dígame, señor, ¿cómo van a venir las lluvias este año?

—Óigame, yo soy agrónomo, no adivino.

—Ya ve. Sólo Tata Dios sabe. Pero sembrando así, si llueve poco levanto amarillo, si llueve más, levanto más; y si llueve bien, pues levanto un poco más de las tres clases.

Diálogo tomado de Efraín Hernández, *Xolocotzi, Xolocotzia*, Universidad Autónoma Chapingo, 1985.

El riego en el valle del Mezquital

A menos de una hora de viaje por carretera desde la ciudad de México, se encuentra el valle del Mezquital que alberga 28 de los 84 municipios del estado de Hidalgo. Su clima es seco, con un promedio de precipitación anual de 385 mm. La vegetación nativa predominante es el matorral espinoso, característico de las zonas semiáridas, con especies como garambullo, mezquite, maguey y nopal. Pese a su escasa humedad natural, el Valle del Mezquital es la principal zona agrícola del estado de Hidalgo, el "vergel o granero" le llaman los gobernantes, pues riega 90 mil hectáreas con las aguas de desecho urbano que salen de la zona metropolitana de la ciudad de México. En la actualidad el Mezquital es el área continua más grande (de México y del mundo) que se riega con aguas residuales urbanas.

La mayor parte de la superficie regada está sembrada con alimentos para ganado: maíz y alfalfa, pero también se siembran hortalizas como chile, jitomate, betabel y lechugas que llegan a los mercados de las ciudades cercanas: Pachuca, Puebla, Querétaro, y a la de México. A partir del brote del cólera en 1991, las agencias gubernamentales establecieron una condición de alerta en la zona, vigilando las parcelas, pues las hortalizas regadas con aguas residuales son peligrosas para la salud. En ese año se habló mucho de que construirían en el Distrito Federal grandes plantas de tratamiento para disminuir la contaminación de las aguas que llegaban al Mezquital.

Quince años después, la situación sigue casi igual, las plantas de tratamiento no se construyeron.

Algunos sitios representativos cuya superficie es irrigada con aguas residuales

PAÍS Y CIUDAD	HECTÁREAS	PAÍS Y CIUDAD	HECTÁREAS
Arabia Saudita, Riad	28 500	Kuwait, varias ciudades	12 500
Argentina, Mendoza	3 700	México, México D.F.	90 000
Austria, Melburne	10 000	México, todas las ciudades	250 000
Bahrein, Tubli	800	Perú, Lima	6 800
China, Todas las ciudades	1 300 000	Sudafrica, Johannesburgo	1 800
India, Calcuta	12 500	Sudán, Jartun	2 800
India, Todas las ciudades	73 000	Túnez, Túnez	4 450
Israel, Varias ciudades	8 800	Túnez, otras ciudades	2 900

Las características de la superficie irrigada varían mucho de un lugar a otro. Un sector de riego con agua de pozo o agua superficial, abastece el mercado nacional de hortalizas, frutas y granos básicos. Se calcula que cuando menos 300 mil hectáreas son regadas con aguas residuales de origen urbano. Las ciudades arrojan sus aguas de desecho sobre los campos de cultivo de los alrededores. Por su magnitud, el caso más conocido en México es el riego con aguas residuales en el valle del Mezquital, en el estado de Hidalgo. En ese lugar, los campesinos utilizan para regar las aguas contaminadas que desaloja la ciudad de México.

Lo mismo sucede en otras partes del país, como el valle de Valsequillo, que utiliza las aguas contaminadas de la ciudad de Puebla, y el municipio de Soledad, que riega una parte de sus parcelas con las aguas de desecho de la ciudad de San Luis Potosí. Podemos decir que las ciudades le cambian a las zonas agrícolas agua limpia por agua contaminada para sus cultivos. En Michoacán, 90 mil hectáreas son irrigadas con aguas residuales mezcladas con aguas pluviales, esto significa casi una cuarta parte de la superficie de riego del estado. La mayor parte de las tierras que reciben ese tipo de aguas contaminadas están concentradas en cuatro distritos de riego: Rosario Mezquite, 42 mil hectáreas; Morelia-Queréndaro, 16 mil hectáreas; la ciénega de Chapala, 15 mil hectáreas y el distrito de Tuxpan con 10 mil hectáreas. También reciben aguas residuales algunas zonas aledañas de las ciudades de Apatzingán y Zamora, pese a la puesta en operación de la planta de tratamiento en esta última localidad.

Morelia arroja 1 600 litros de aguas de desecho por segundo. Uruapan 1 000 y Zamora 350 litros por segundo. La tercera parte de las cabeceras municipales más pobladas del estado, producen en conjunto 5 600 litros por segundo de aguas residuales. Además de las ya mencionadas, en ese grupo se encuentran Apatzingán, Zitácuaro, Maravatío, La Piedad, Huetamo y Lázaro Cárdenas. En esas ciudades, el mayor volumen de

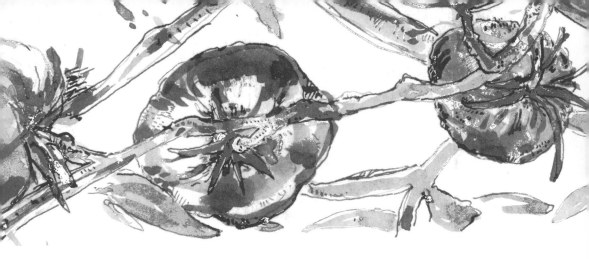

aguas desalojadas se concentra en las corrientes principales, como el río Grande de Morelia y el Cupatitzio en Uruapan, en donde se mezclan con aguas de lluvia y luego se distribuyen a los canales de riego que llegan hasta los terrenos de labor. Para darnos una idea del grado de contaminación de las aguas de desecho municipales, conviene decir que las aguas de origen doméstico van revueltas con los desechos de industrias pequeñas y medianas, que desalojan en la misma red de saneamiento. Aun cuando existen zonas o ciudades industriales, como la de Morelia, también hay empresas localizadas dentro de las zonas habitacionales, por lo que utilizan los mismos desagües que reciben las aguas de las viviendas.

Con esas aguas se cultivan granos básicos, forrajes, árboles frutales y hortalizas. Los agricultores que utilizan las aguas de desecho urbano siembran lo mismo maíz y frijol, que sorgo, alfalfa y avena, o también melones, zanahorias, cebollas, jitomates, chiles y papas. Los productos se destinan no sólo a los mercados locales o regionales, sino también a la central de abastos de la ciudad de México y otras ciudades lejanas. Algunos de los agricultores han buscado incluso vender sus productos en el extranjero, pero se enfrentan al reto de cumplir con las normas sanitarias impuestas por los países compradores. Estas normas restrictivas han sido una de las razones que ha impulsado a los agricultores a movilizarse y a protestar,

pues algunos de sus productos no pueden entrar y venderse en los mercados extranjeros, totalmente o en algunas modalidades, como fue el caso de los productores de fresa del valle de Zamora.

Más que afectar a otros, los agricultores que usan aguas residuales se ven afectados por la contaminación de las aguas que utilizan. Ellos mismos y sus hijos deben trabajar en medio de campos contaminados, con altos riesgos para su salud. Al aceptar las aguas residuales, las parcelas funcionan como filtros biológicos que limpian las aguas contaminadas. No se trata de una buena solución, pero es la que se les ha impuesto durante mucho tiempo. Las familias que viven de cultivar en estas condiciones no sólo ven afectada su salud: ningún país extranjero está dispuesto a comprar productos cosechados con aguas residuales.

La percepción de que la agricultura es la gran consumidora que ocasiona la escasez de agua tiene que ver con los conflictos que se suscitan cuando una ciudad trata de obtener nuevas fuentes de abastecimiento de las zonas agrícolas que la rodean. En esos casos, se utiliza el argumento de que la agricultura campesina es poco productiva e ineficiente y que la prioridad debe tenerla el consumo humano. Existen datos que ponen en duda este razonamiento. En el valle de Toluca e Ixtlahuaca, en el Estado de México, existió una importante agricultura campesina que obtenía excelentes cosechas de maíz y otros alimentos que se transportaban a las centrales de abasto de varias ciudades del centro de México. Cuando el agua se desvió hacia el Distrito Federal, grandes superficies de esa agricultura se colapsaron. Hoy está confirmado que de cada 10 litros que ingresan a las tuberías de la ciudad de México, cuando menos tres se pierden en fugas de la red de distribución, es decir, antes de llegar a las viviendas. Es aceptado que las redes de distribución urbana en todas las ciudades de la república son altamente ineficientes y pierden hasta la mitad del agua que distribuyen. Visto así las ciudades son tan ineficientes o más que los predios agrícolas para aprovechar el agua.

Por último, tenemos un pequeño grupo de agricultores de riego, con predios grandes, que utilizan el agua de mejor calidad para cultivos de exportación. Este sector siembra los productos de mayor demanda de agua, como las hortalizas tradicionales y hortalizas *de primor* (col de Bruselas, elotes miniatura, zanahoria *baby*, tomate cereza). La entrada en vigor del Tratado de Libre Comercio entre México, Estados Unidos y Canadá aumentó la demanda de algunos de esos productos, modificando la composición tradicional de la superficie irrigada en varios estados del norte de México. Como ejemplo, hablaremos un poco de lo ocurrido en Sonora.

Hasta 1980, 75% de la superficie agrícola de Sonora estaba sembrada de cultivos básicos y 13% de hortalizas y frutas. Para el 2004, la situación había cambiado radicalmente: 53% del terreno tenía hortalizas y frutas, y sólo 20% era de cultivos básicos (trigo, maíz, frijol), además de cártamo y algodón. Entre los nuevos productos están los siguientes: naranja, sandía, uva (industrial, fruta y pasa), tomates, chile verde y papa. En el año 2000, Sonora fue la entidad que produjo más toneladas de trigo para grano, chile jalapeño, sandía, uva y espárrago, y ocupó el segundo lugar en la producción de garbanzo, papa, melón, calabacita, y alfalfa. Debido a la poca agua superficial disponible en Sonora, la inmensa mayoría de esos cultivos se riegan con el agua de los acuíferos del estado, compitiendo con el abasto a las ciudades.

El negocio de vender hortalizas en el mercado internacional es tan rentable, que se ha conformado una industria de maquila hortícola que funciona de la siguiente manera: una empresa renta las parcelas a los agricultores de una zona, con la condición de que siembren determinados productos. Las empresas buscan los terrenos donde existen pozos con agua abundante y de buena calidad y se dedican a extraerla en grandes cantidades. Las hortalizas se empacan para venderlas en el extranjero o en los mercados urbanos de clases medias y altas. Cuando el acuífero se agota, la empresa da por concluido el contrato y deja el lugar convertido en un páramo. Algunas de esas empresas son de grandes capitales de Sinaloa o Guanajuato; otras son estadounidenses.

En México actualmente el cultivo de hortalizas desperdicia por lo menos 40% del agua que se le destina. Para regar las hortalizas en Guanajuato se extraen 416.25 millones de m^3 de agua al año, de los cuales en promedio llegan a los campos de cultivo 307.91 millones de m^3. No sólo se pierden 108.34 millones de m^3 de agua, sino que bastarían alrededor de 139 millones para regar 70 000 has de superficie.

En resumen, la producción de alimentos no puede prescindir del agua, pero no toda la agricultura consume agua por igual, ni para los mismos propósitos. Por esa misma razón, es inapropiado identificar a toda la agricultura como la responsable de la crisis del agua. La producción de temporal utiliza directamente las lluvias y la humedad que éstas dejan en el suelo (se le llama *agricultura de jugo*). El riego con aguas residuales es peligroso por la contaminación que recibe de las ciudades y, en ese caso, las parcelas ofrecen un servicio como filtros de los contaminantes. Finalmente, la gran agricultura irrigada con fines de exportación se ha especializado en tomar el agua de mejor calidad, aun a costa de poner en riesgo los acuíferos. Paradójicamente, este último tipo de agricultura es la que más apoyo gubernamental recibe en la actualidad.

	Acuífero sobreexplotado
	Acuífero con intrusión salina
	Acuífero bajo el fenómeno de salinización de suelos o aguas subterráneas salobres
	Acuífero sobreexplotado y con intrusión salina
	Acuífero sobreexplotado que presenta el fenómeno con salinización de suelos o aguas subterráneas salobres
	Acuífero sobreexplotado que presenta intrusión salina y el fenómeno de salinización de suelos o aguas subterráneas salobres

Acuíferos sobreexplotados, 2004

Fuente: **Subdirección de Aguas Subtérraneas** (SGT),
Comisión Nacional del Agua (CNA)

Derecho de los
pueblos indígenas
al agua

Como dijimos antes, la pobreza es un síntoma y una causa de la crisis del agua. Las enormes diferencias entre los ingresos de una familias y de otras van unidas a una distribución marcadamente desigual del agua: grandes cinturones de miseria urbana sin agua limpia suficiente para beber, junto al despilfarro de otros grupos sociales; agua subterránea de buena calidad para la gran agricultura comercial, y aguas residuales peligrosas para la salud y para el riego campesino. Organismos internacionales como la Organización Mundial del la Salud (OMS) y la Comisión Económica para América Latina y el Caribe (Cepal) han señalado que en general los niños, los ancianos, las mujeres y particularmente los más pobres del planeta son quienes menos pueden ejercer su derecho al agua.

En América latina, millones de indígenas forman uno de los grupos sociales que más sufren por la desigualdad en el acceso al agua. Por una parte, los gobiernos han invertido poco dinero para garantizar agua de buena calidad para las comunidades indígenas; por otra, diferentes medidas gubernamentales han alterado las corrientes y cuerpos de agua que existían en sus territorios, lo que ha impedido que las comunidades tengan acceso al agua. Los pueblos indígenas experimentan una triple desventaja social por ser mayoritariamente pobres, excluidos políticamente y discriminados por su cultura y su lengua. Por esa razón, su lucha por el derecho al agua recoge muchas de las demandas de otros grupos sociales excluidos.

Los indígenas en México

El nuestro es un país de gran diversidad étnica y lingüística. Según el censo de población del año 2000, existen poco más de 10 millones de indígenas (10.5 % de la población total), que hablan más de 62 lenguas y viven en todo el país, aunque se concentran principalmente en los estados del centro y el sur.

La historia que han vivido los mantiene en una condición frágil para hacer valer sus derechos sobre el agua.

Uno de los efectos poco mencionados de las reformas liberales del siglo XIX fue que dejaron a los pueblos y comunidades indígenas en completa indefensión para conservar sus tierras. La constitución de 1857 indicaba en su artículo 27 que "ninguna corporación civil o eclesiástica, cualquiera sea su carácter, denominación u objeto, tendrá capacidad legal para adquirir en propiedad o administrar por sí bienes raíces". Esta disposición no sólo sirvió para trasladar al Estado la gran propiedad territorial que había acumulado el clero católico durante el periodo colonial (y que conservó en las primeras décadas del México independiente), sino que también se convirtió en el argumento legal para despojar de sus tierras (y aguas) a los pueblos de indios.

Las comunidades indígenas de México han tenido que defender el agua frente a decisiones gubernamentales que no consideran sus necesidades ni sus derechos. La desecación de lagunas y humedales, la inundación de pueblos y áreas agrícolas para construir grandes presas, la contaminación de ríos y acuíferos por parte de la industria petrolera y la transferencia de agua a las grandes ciudades son sólo algunos ejemplos de las decisiones que han afectado a los pueblos indígenas en diversas regiones del país. Los gobiernos generalmente no comprenden que, para los pueblos indígenas, el derecho al agua es también un derecho territorial, colectivo y sustento importante de la cultura que los caracteriza.

Los gobiernos posteriores a la revolución pusieron en marcha —desde la década de los años veinte del siglo pasado— políticas destinadas a *incorporar* a los pueblos indígenas a la llamada *sociedad nacional.* Los alcances y resultados de esa incorporación fueron bastante desiguales. Algunas medidas, como la restitución de tierras a las comunidades (sobre todo durante el cardenismo), ayudaron a sostener y reorganizar a muchos pueblos nativos; sin embargo, al mismo tiempo se desarrollaron programas como la castellanización forzosa en la educación elemental, que vulneraba el derecho de los indígenas a conservar su lengua materna. Pese a la política de restitución de tierras comunales, los pueblos indígenas no consiguieron derechos plenos sobre sus territorios; por el contrario, las políticas gubernamentales los obligaron a dejar muchos de los lugares que habían ocupado, para que allí se construyeran grandes presas o se talaran los bosques con el fin de abrir nuevas áreas de agricultura irrigada. Al perder sus tierras, perdían también sus lugares de agua, como las lagunas, los manantiales y pozos.

Los lugares de agua son muy importantes para los pueblos indígenas. Les asignan el papel de santuarios naturales y tienen importancia simbólica en la organización del territorio. Entre los pueblos originarios de la región mesoamericana se esta-

Construcción de presas

A principios de los años cincuenta del siglo xx, La Comisión del río Papaloapan puso en operación los planes para modificar la cuenca, construyendo presas sobre la corriente. Para construir la presa Miguel Alemán se utilizaron 500 km² del territorio del pueblo mazateco, un poco más de la quinta parte de la superficie en la cual vivían. Se expulsó de sus lugares de origen a 20 000 campesinos y aunque la presa se terminó en 1955, el reacomodo de las personas desplazadas concluyó hasta 1962, muchos años más tarde.

Debido a que una buena parte de las poblaciones nativas ofrecieron resistencia a dejar sus tierras, el gobierno creó en 1954 el Centro Coordinador Indigenista de Temascal, con el fin de convencer a los mazatecos afectados de que aceptaran reubicarse. Veinte años después, el reacomodo masivo de indígenas se volvió a repetir para construir la presa Cerro de Oro, al suroriente de la primera; esta vez los desplazados fueron principalmente indígenas chinantecos.

En el caso de Cerro de Oro, la expulsión de los indígenas se acompañó de un programa para la colonización de tierras de la selva tropical, abiertas al cultivo irrigado. Unos 13 000 chinantecos desplazados por la presa fueron llevados al Uxpanapa, que se acondicionó en forma apresurada como distrito de riego, con la inversión de 50 millones de dólares otorgados por el Banco Interamericano de Desarrollo (BID).

Tanto los mazatecos como los chinantecos tardaron en reconstruir los vínculos comunitarios que se vieron desgarrados cuando los expulsaron de sus tierras. En la reubicación perdieron la comunicación cotidiana con una buena parte de sus familiares y vecinos anteriores; también fueron despojados de símbolos de identidad muy importantes, como sus sitios sagrados y las tumbas de sus antepasados. Las familias que se opusieron hasta el último momento al desalojo fueron removidas con el uso de la fuerza pública. El compromiso gubernamental de ofrecer mejores condiciones de vida a los pueblos desplazados nunca se cumplió.

blece una relación cerro-cueva-manantial, como centro del mundo ritual. Es lo que sucede con los otomíes del valle del Mezquital y el cerro del Tephé; con las cuevas de Ximoconcu en la huasteca, que convocan por igual a nahuas, teenek y pames; y con el Cerro de la Adoración en la zona mazateca, un sitio muy importante en las representaciones y vida ritual de los nahuas, mixtecos, cuicatecos y chinantecos.

Los lugares de agua ocupan un sitio destacado en las representaciones sociales, los mitos y las ceremonias de los pueblos originarios. Para los chatinos en Oaxaca, "los manantiales… constituyen el símbolo visible de la fertilidad y la abundancia, razón por la cual se siembran los ombligos de los niños en torno a ellos".[7] Los otomíes de Tlaxcala relatan que dentro del cerro de La Malinche existe una gran ciudad de clima agradable y vegetación exuberante, que está rodeada por ríos y lagunas, y guarda un tesoro.

En vísperas de la fiesta de la virgen de la Inmaculada Concepción, los purépechas de San Juan Nuevo, en la sierra de Michoacán, suben en andas a la virgen de la Natividad hasta el paraje de Panzingo, donde existe un manantial sagrado. En un pequeño cántaro atado a la espalda, la virgen acarrea el agua hacia el pueblo, como don para ofrecerlo a la Inmaculada Concepción. También se llevan plantas olorosas, para que la capilla huela "como el cerro".

Para los indígenas del centro de México, poseedores de una sofisticada cultura lacustre, que sabían manejar los distintos cuerpos de agua, así como distinguir y aprovechar la diversidad de plantas y animales que crecían dentro y fuera de esos cuerpos, las lagunas y humedales no son aguas *estancadas* o impuras, sino grandes reservas de aguas sagradas que fluyen de los cerros.

7. Esto dice Alicia Barabas en su libro *Etnoterritorialidad sagrada en Oaxaca* (Conaculta-INAH, México, 2003).

63

La defensa del pueblo yaqui

Un ejemplo notable de defensa de la tierra y el agua es el que ha protagonizado el pueblo yaqui, que habita en el sur del estado de Sonora, en la cuenca del río Yaqui. Sometidos a un constante despojo de sus tierras y aguas desde la llegada de los españoles a la región, los yaquis vivieron en un constante estado de guerra para defender su territorio. La rebeldía se mantuvo durante el México independiente y en particular durante el gobierno de Porfirio Díaz, quien los sometió al exterminio militar y social: desalojó pueblos enteros o los deportó a otras zonas, en particular para los trabajos forzados en las plantaciones de henequén en Yucatán, donde muchos yaquis encontraron la muerte.

Después de la revolución de 1910, los yaquis reforzaron la lucha por la restitución de sus territorios; Álvaro Obregón les había prometido que sus tierras les serían devueltas a cambio de apoyarlo en la guerra revolucionaria. El 17 de febrero de 1937, años después de terminada la revolución, el gobernador de la tribu yaqui, Ignacio Lucero, le escribió al presidente Lázaro Cárdenas:

Desde 1533, fecha en que los españoles empezaron la guerra con el yaqui, y después, en 1838, principiaron una guerra tenaz para acabar con el yaqui… en la región del yaqui todavía existen los porfiristas del gobierno pasado, que tienen expropiada gran extensión de terrenos que pertenecen a esta tribu yaqui, actualmente ocupados por los yoris… y por ultimo, el punto denominado Cajeme, que actualmente le nombran ciudad Obregón, los terrenos que tienen cultivando en aquel lugar y que están ocupados por los blancos son propiedad de la tribu yaqui, por lo que los gobernadores de los ocho pueblos, así como todo el pueblo en general, rogamos a usted muy respetuosamente, a fin de que los terrenos que nos fueron quitados en épocas pasadas por los hombres ambiciosos, que nos sean devueltos de una manera definitiva para el progreso de la tribu yaqui".

El presidente Cárdenas respondió así:

El gobierno reconoce que la actitud bélica de ustedes , desde la época de la conquista fue siempre de justa defensa de sus tierras; parte de cuyas tierras han venido pasando a poder de distintas personas por venta o donación que hicieron los gobiernos anteriores... [Para resolver esto, al pueblo yaqui] se le concede toda la extensión de tierra laborable ubicada sobre la margen derecha del río Yaqui, con el agua necesaria para riegos, de la presa en construcción de la Angostura, así como toda la sierra conocida por sierra del Yaqui, a cuyos componentes se les proveerá de los recursos y elementos necesarios para el mejor aprovechamiento de sus tierras.

La margen izquierda del río fue utilizada para conformar ejidos. Parecía que se había encontrado un arreglo, aunque los propios yaquis señalan que esa restitución no fue de todas sus tierras y el decreto dejó fuera centros importantes para el pueblo. Además, el acuerdo presidencial no se cumplió cabalmente. El distrito de riego de la margen izquierda del río creció hasta rebasar las 100 000 hectáreas, mientras a los yaquis se les dejó sólo una superficie irrigada de 6 000 hectáreas. Tampoco se cumplió con el acuerdo de dotarlos del agua necesaria, que fue calculada hasta en la mitad del líquido almacenado en la presa La Angostura. En la actualidad, las autoridades tradicionales de la tribu yaqui han presentado una denuncia frente a la Comisión Interamericana de Derechos Humanos, con el fin de que el gobierno federal de México restituya sus derechos, en particular la mitad del agua almacenada en la presa La Angostura.

Basado en la "Cronología del agua Yaqui", consulta en línea: <http://www.colsan.edu.x/investigacion/aguaysociedad/Seminario/Seminario.htm>, 20 de diciembre de 2006.

Por otra parte, para los mayas peninsulares, cuyo abastecimiento depende de las aguas subterráneas (debido a la condición de gran permeabilidad de los suelos), los cenotes tienen un lugar central como puertas al inframundo. El agua es simultáneamente referente cultural y pieza clave de la idea de territorio; es condición de vida y elemento básico del orden natural. Abundan los ejemplos de comunidades indígenas que en consonancia con esas concepciones han establecido coaliciones para defender las aguas comunes; por ejemplo, los frentes de organizaciones, comunidades y ayuntamientos indígenas opositoras a la construcción de embalses en Chiapas; o el caso de los pueblos nahuas del alto balsas, que se organizaron para impedir la transferencia de agua hacia el Distrito Federal. Un ejemplo más reciente y visible ha sido el de las movilizaciones de comunidades mazahuas en el Estado de México, en protesta por los efectos adversos que ha tenido sobre sus pueblos la transferencia de agua al área metropolitana de la ciudad de México.

Los pueblos indígenas han vivido una larga y amarga experiencia, pues diversos gobiernos federales y estatales han destinado el agua disponible en los territorios indígenas para beneficiar a la industria, facilitar el crecimiento de las grandes ciudades o impulsar la agricultura de exportación, desprotegiendo a los pueblos nativos o cargando sobre ellos todos los costos.

Cuando las comunidades indígenas defienden su derecho al agua, también abogan por la protección de los lugares

donde ésta se encuentra. En aquellos sitios donde han podido mantener el control de las fuentes de agua, aplican normas de distribución que permiten la regulación de los conflictos intracomunitarios, así como aquellos que pueden presentarse con sus vecinos. En Chacatitla, una comunidad náhuatl de la huasteca con 535 habitantes, la gente se ha organizado para que cada una de las tres secciones de la comunidad se abastezca de una noria con agua para beber y utilice para el aseo el arroyo que se forma por los afloramientos de distintos manantiales. Bajo el sistema de trabajo para la comunidad, las familias cuidan la noria y realizan tareas de limpieza regular cada dos meses; se trata de un trabajo no pagado, pero que ratifica el derecho al agua. El vecino que por alguna razón no cumple con sus obligaciones en este terreno, recibe una exhortación de las autoridades locales y generalmente eso basta para conseguir que se repare la falta.

La regla básica para el manejo del agua disponible en las comunidades se condensa en la siguiente frase: *el agua no se le niega a nadie.* Los vecinos están convencidos que negar el agua, acarrea problemas de escasez para todos: "el manantial se entristece al ver la envidia" y deja de fluir por la tierra, se pierde para siempre. Esta concepción básica orienta la búsqueda de arreglos con los vecinos, para que todos puedan disponer de agua suficiente en términos equitativos. En el fondo existe el reconocimiento de que, para cuidar el arroyo, el manantial

El Convenio 169

En junio de 1989 la Organización Internacional del Trabajo (OIT) adoptó el Convenio sobre Pueblos Indígenas y Tribales en Países Independientes, conocido como Convenio 169. Este convenio se ha convertido en un importante referente internacional para los derechos de los pueblos originarios.

En su artículo 2 el convenio dice: "Los gobiernos deberán asumir la responsabilidad de desarrollar, con la participación de los pueblos interesados, una acción coordinada y sistemática con miras a proteger los derechos de esos pueblos y a garantizar el respeto de su integridad". Los gobiernos deben actuar de modo que *a)* "aseguren a los miembros de dichos pueblos gozar, en pie de igualdad, de los derechos y oportunidades que la legislación nacional otorga a los demás miembros de la población"; *b)* "promuevan la plena efectividad de los derechos sociales, económicos y culturales de esos pueblos,

respetando su identidad social y cultural, sus costumbres y tradiciones, y sus instituciones"; *c)* "ayuden a los miembros de los pueblos interesados a eliminar las diferencias socioeconómicas que puedan existir entre los miembros indígenas y los demás miembros de la comunidad nacional, de una manera compatible con sus aspiraciones y formas de vida".

En el artículo 13 se establece lo siguiente: "Al aplicar las disposiciones de esta parte del Convenio, los gobiernos deberán respetar la importancia especial que para las culturas y valores espirituales de los pueblos interesados reviste su relación con las tierras o territorios, o con ambos, según los casos." Y añade: "La utilización del término «tierras» en los artículos 15 y 16 deberá incluir el concepto de territorios, lo que cubre la totalidad del hábitat de las regiones que los pueblos interesados ocupan o utilizan de alguna otra manera."

o la noria, se requiere la colaboración de muchos y el buen manejo de asuntos tan diversos como evitar la acumulación de basura, cuidar el monte, no contaminar la fuente de agua y procurar la colaboración activa de todos los vecinos.

Conseguir algún tipo de influencia por parte de las comunidades indígenas sobre el destino del agua es un objetivo difícil de lograr, debido a que el marco legal vigente otorga al gobierno federal el monopolio para asignar el líquido y deja un margen muy estrecho para considerar los derechos locales de las comunidades.

Esta situación es lamentable y constituye un grave error por varias razones: se lesionan derechos que deberían protegerse, de acuerdo con regulaciones internacionales como el Convenio 169, que fue ratificado por México; aumenta el deterioro de la calidad de vida de las comunidades indígenas en el país y se atenta contra los pueblos que han desempeñado un papel importante en la conservación de las cuencas hidrológicas, sobre todo en el caso de aquellos pueblos indígenas que poseen bosques y realizan un buen manejo de los mismos.

Las comunidades indígenas forestales se han convertido en un ejemplo de lo que se puede aportar a la protección del agua y de la biodiversidad que se le asocia. Este tipo de experiencias son cada vez más frecuentes en Michoacán, Oaxaca, Chihuahua, Veracruz, Guerrero y Quintana Roo, pero también abarcan comunidades indígenas de Hidalgo, Querétaro y otros estados. Los Pueblos Mancomunados, en los municipios de Santa Catarina Lachatao, San Miguel Amatlán y Santa María Yavesía, en la sierra Juárez de Oaxaca, constituyen ejemplos concretos de un manejo ejemplar. Con 19 000 hectáreas boscosas, los Pueblos Mancomunados han desarrollado una organización que les permite simultáneamente aprovechar el bosque y conservarlo. La propiedad comunal del predio forestal convierte a cada uno de los comuneros en copropietario del aprovechamiento y, por lo tanto,

los organismos de decisión y gestión están vinculados a la organización comunal.

La gestión de este tipo de empresa forestal es evaluada por la Asamblea de Caracterizados, una especie de consejo de ancianos, la cual lleva sus opiniones a la asamblea general. Las decisiones tomadas se orientan por el objetivo de mantener el bosque y no por alcanzar una alta rentabilidad o ganancia económica; esto ha significado un buen desempeño en la conservación de la masa forestal e incluso una pequeña recuperación del arbolado en terrenos que habían sido deforestados. Todas las medidas encaminadas a conservar la zona arbolada y a reforestar tienen un impacto benéfico en la conservación de las microcuencas albergadas por el bosque. Se trata de una contribución que los pueblos indígenas han realizado durante muchos años y que no ha sido debidamente reconocida. En la actualidad existen redes sociales cuyo propósito es dar a conocer estas experiencias y fortalecer el buen manejo forestal por parte de las comunidades que los poseen.

Para los pueblos indígenas el acceso al agua es un derecho territorial; eso significa que todos los vecinos tienen acceso a ella; tener ese derecho implica a la vez saber que se es parte de la comunidad. Es un signo de identidad. Todo vecino adquiere así obligaciones para mantener las condiciones de conser-

vación del agua. Se trata de un bien común cuyo destino está marcado por la existencia de acuerdos entre los vecinos.

Por lo anterior, el trabajo para obtener, almacenar, distribuir, cuidar y conservar el agua se ve como el cumplimiento de un servicio y no como la venta de un producto. En la base de esta actitud frente al agua están valores como el compromiso, la reciprocidad, la obligación moral y el trabajo voluntario. Los procedimientos para dirimir conflictos se apoyan en dilucidar qué comportamiento contribuye, favorece, facilita, fortalece la protección de esos valores y el sostenimiento del derecho al agua como derecho territorial y comunitario.

Contra lo que se piensa, los pueblos indígenas no son principalmente demandantes de servicios públicos de agua potable. La mayoría de los problemas que enfrentan se deben a los procesos de contaminación, desecación o pérdida de territorio que les arrebataron sus fuentes tradicionales de abastecimiento. Más bien, no se ha reconocido cabalmente el aporte que el buen manejo forestal significa para la conservación de cuencas y microcuencas.

No se han reconocido tampoco los comportamientos solidarios de las comunidades indígenas, los cuales se muestran en distintos arreglos sociales para distribuir las escasas aguas que todavía poseen.

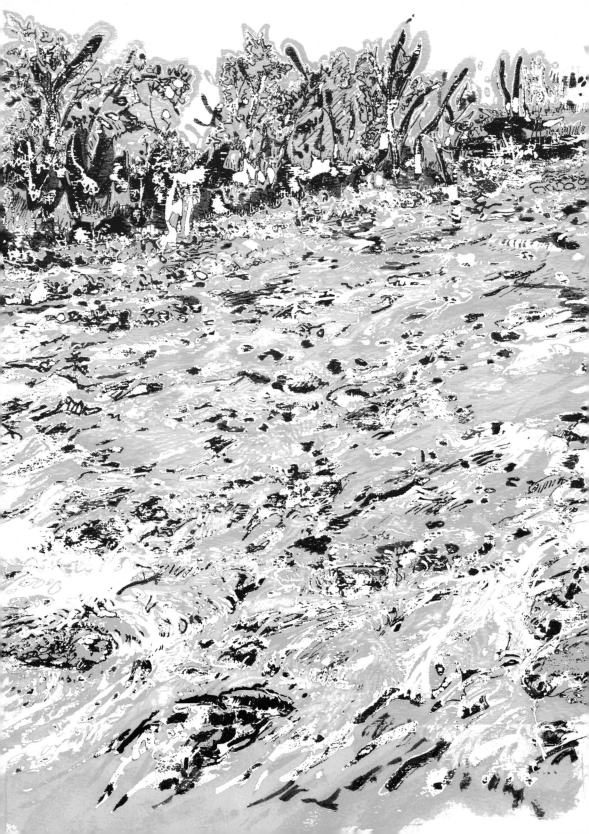

¿Aguas **divididas** o **aguas** compartidas?

El agua no conoce fronteras. Los ríos, acuíferos y lagunas pueden extenderse por dos, tres o más países, lo mismo que las cuencas que los alimentan. En la actualidad existen 263 cuencas en el mundo que comparten fronteras; 90 de ellas pertenecen a más de dos países. En América latina y el Caribe existen 61 cuencas compartidas. Si ponerse de acuerdo en los usos y la distribución del agua dentro de un país es complicado y encierra el riesgo de conflictos, imaginemos lo que significa manejar el agua entre dos o más países vecinos.

Algunas personas aseguran que las próximas guerras serán por agua; afortunadamente contamos con datos optimistas para suponer que los países vecinos que comparten el agua prefieren encontrar mecanismos de colaboración, antes que dirimir violentamente sus diferencias. En ese aspecto, en el mundo se ve con interés lo que sucede en los límites entre México y Estados Unidos. Se trata de la frontera terrestre más larga entre un país no desarrollado y una potencia mundial. México comparte con Estados Unidos varias corrientes y cuencas, entre ellas la cuenca del río Colorado y la del Bravo (llamado río Grande, en Estados Unidos). Esas aguas son especialmente apreciadas, pues la región es de lluvias escasas y registra una demanda creciente de agua para todos los usos.

La cuenca del Bravo tiene una superficie de 457 275 km^2 (dos veces el tamaño del estado de Chihuahua). A México le pertenecen 226 275 km^2 y a Estados Unidos 231 000 km^2.

Del lado mexicano, esta cuenca abarca parte de los estados de Coahuila, Durango, Chihuahua, Tamaulipas y Monterrey; y en Estados Unidos se extiende por parte de los estados de Colorado, Nuevo México y Texas. El río Bravo nace en las montañas nevadas de Colorado y Nuevo México, y recorre 3 033 km antes de desembocar en el Golfo de México. Los últimos 2 019 km del río, marcan la frontera entre los dos países. En la cuenca del Bravo habitan cerca de 13 millones de personas, más de nueve millones están del lado mexicano.

Las dos corrientes más importantes que desembocan en el Bravo son el río Conchos, en México, y el río Pecos, en Estados Unidos. Existen dos presas internacionales para suministrar agua del río Bravo: la presa Falcón y la presa de la Amistad. El río se caracteriza por largos periodos de baja escorrentía, seguidos de altos flujos en intervalos de varios años.

Por su parte, la cuenca del Colorado tiene una superficie de 655 000 km^2. La corriente, de 2 300 km de longitud, se forma con las aguas que escurren de las Montañas Rocallosas de Estados Unidos y desemboca en el golfo de California. Abastece a una población de 20 millones de habitantes, 90% de los cuales viven en siete entidades estadounidenses: Colorado, Wyoming, Utah, Nevada, Nuevo México, Arizona y California. Solamente 5 923.16 km^2 de la superficie de la cuenca se encuentran en territorio mexicano, donde abastece a unos dos millones de habitantes de Baja California y parte de Sonora (municipio de San Luis Río Colorado). El escurrimiento del río está completamente controlado con las presas Hoover (construida en 1935) y Glenn Canyon (construida en 1963). La parte mexicana del río Colorado inicia en la presa Morelos y se extiende hasta la vía del ferrocarril Sonora-Pacífico.

Treinta por ciento de las necesidades urbanas del sur de California son cubiertas por las aguas del río Colorado; mientras que en la parte mexicana, las comunidades del Valle de Mexicali dependen en 60% de esta fuente, y utilizan las aguas del acuífero —que se alimenta en gran parte por infiltraciones que provienen de las corrientes superficiales del río— para complementar sus necesidades.

¿Cómo le han hecho México y Estados Unidos para ponerse de acuerdo en la distribución y uso de esas aguas? No ha sido fácil, sobre todo para México. Han existido entre ambos países varios momentos y puntos de controversia. Hace cuatro años, los medios de comunicación difundieron ampliamente el episodio más reciente de esos desencuentros entre ambos países por el agua. Todo empezó cuando agricultores de Texas, autoridades de Arizona y algunas instancias federales estadounidenses reclamaron a México el pago de un presunto adeudo de agua, según la interpretación que ellos hacían del Tratado de Límites y Aguas, que ambos países firmaron en 1944. Pero han existido otros episodios. Es muy conocido el reclamo que México hizo a su vecino en 1961, por la contaminación con aguas salitrosas que afectaron las tierras fértiles del valle de Mexicali. La controversia más reciente se debe a la decisión estadounidense de revestir de concreto el canal Todo Americano. Esa acción ocasionará menor infiltración del agua subterránea que es utilizada por los agricultores del lado mexicano, afectándolos gravemente.

Después de que nuestro país perdió una parte del territorio frente a Estados Unidos, los gobiernos mexicanos estuvieron interesados durante todo el siglo xix y las primeras décadas del siglo xx en poblar las tierras norteñas. A partir de los años veinte del siglo pasado, pusieron en marcha un sistema de riego en esas tierras, para que más colonos emigrados del sur y centro de México (o braceros repatriados de los Estados Unidos) ocuparan el norte. Esas obras de riego demandaban agua.

Del lado estadounidense también creció el volumen de agua utilizado. Se desató una carrera por el agua; quien pudiera aprovechar de inmediato los volúmenes más altos, sería el más beneficiado. Ambos países se vieron obligados a continuar las conversaciones para llegar a un acuerdo. En 1944, en plena segunda guerra mundial, México y Estados Unidos

El Canal Todo Americano

Este canal corre en territorio estadounidense, en forma paralela a la línea divisoria con México. Conduce las aguas del río Colorado desde la presa Imperial (que está 32 km al noreste de Yuma, Arizona) hasta la zona agrícola del Valle Imperial. Anualmente transporta un total de 3.2 km³ de agua, que son utilizados para regar más de 200 000 hectáreas en ese valle y para suministrar agua a nueve ciudades de los Estados Unidos. En 1976, el gobierno estadounidense comunicó a México su intención de revestir de concreto 37 km del CTA.

Tal medida tendría al menos cuatro efectos perjudiciales. Primero, la infiltración sería menor, por lo que también bajaría la disponibilidad del agua subterránea en el Valle de Mexicali.

En segundo lugar, la salinidad de las aguas del acuífero aumentaría progresivamente.

El tercer efecto negativo sería que la biodiversidad del delta del río Colorado quedaría afectada por la menor cantidad de agua subterránea y la mayor salinidad de la misma.

Y, finalmente, habría un impacto adverso en las actividades agrícolas del Valle de Mexicali y por lo tanto en el bienestar de las familias que ahí viven.

El proyecto es visto en México como una decisión unilateral de los Estados Unidos, que incumple el principio de derecho internacional de no causar daño a terceros.

firmaron el Tratado Internacional de Aguas. Ese tratado, que sigue vigente, significó el principal arreglo de ambos vecinos para compartir los volúmenes de las aguas superficiales en la frontera. México recibiría una parte del agua proveniente de la cuenca del río Colorado, y a su vez nuestro país se comprometía a entregar una parte de las aguas que escurren en su territorio, en la cuenca del Bravo. La Comisión Internacional de Límites y Aguas (CILA) es el organismo responsable de cuidar que ese acuerdo se cumpla.

La discusión en torno a la calidad del agua ha ganado importancia desde la firma del tratado de 1944. Por su magnitud y complejidad, sobre todo se tiene presente el conflicto fronterizo por el desalojo de aguas salinas sobre los terrenos agrícolas de Mexicali; pero no es el único. Poco a poco, los desencuentros parciales por los problemas de calidad del agua y algunas diferencias sobre las cantidades disponibles han abierto la discusión de temas urgentes no contemplados en el tratado original; por ejemplo, cómo distribuir las aguas subterráneas. Pese a todo, México y Estados Unidos cuentan con el Tratado de 1944 como punto de referencia para remediar sus diferencias con respecto a la distribución de sus aguas. El manejo de las cuencas fronterizas entre México y Estados Unidos no sólo implica determinar la cantidad de líquido disponible o establecer una fórmula ideal para que los dos países compartan el agua, sino que también se relaciona con el crecimiento urbano, el desarrollo económico, el futuro de la agricultura y la industria.

En el sur, México comparte con Guatemala y Belice las cuencas con más agua, pero hasta la fecha no existe un tratado semejante al establecido con el vecino del norte. En la frontera sur, México comparte con Guatemala las cuencas de los ríos Suchiate, Coatán, Candelaria, Grijalva y Usumacinta. Con Belice y Guatemala comparte la cuenca del río Hondo.

La cuenca del río Usumacinta es la más extensa de las seis cuencas fronterizas en el sur. Abarca 73 076 km^2, superficie similar a la extensión del estado de Chiapas. Casi 60% de esa cuenca está en México y 40% en Guatemala. El Usumacinta se forma de la unión de los ríos Salinas y La Pasión en el Petén guatemalteco, se abre paso entre desfiladeros e imponentes acantilados de más de 300 metros de altura hasta Boca del Cerro, a 12 km de Tenosique, en el estado de Tabasco. Allí comienza el Bajo Usumacinta, que 60 km después recibe al más caudaloso de sus afluentes: el San Pedro, procedente del Petén guatemalteco. Después de Jonuta, se desprende del Usumacinta el río San Pablo, que sirve de límite entre los estados de Tabasco y Campeche, hasta desembocar en el Golfo de México por la Barra de San Pedro. Un poco antes de desembocar en el Golfo de México, el Usumacinta se une con el río Grijalva. Por eso con frecuencia se habla del sistema o de la cuenca Grijalva-Usumacinta.

El río Grijalva está formado por tres corrientes provenientes de Guatemala: los ríos Cuilco, Nentón y Selegua. La cuenca completa del río abarca 57 000 km²; es la segunda más grande de la frontera sur mexicana. En la gran cuenca del Grijalva-Usumacinta se concentra 30% de los escurrimientos de los ríos de México. Ese enorme sistema es el almacén de la más alta biodiversidad conocida de México: es el hábitat de 67% de las especies vivientes en el territorio mexicano y ocupa el primer lugar nacional en número de plantas superiores (20 000 especies), de peces de aguas dulces (150 especies), de anfibios (180 especies) y de aves (240 especies), según el Instituto Nacional de Ecología.[8]

México aprovechó las aguas del Grijalva para construir un amplio complejo de plantas hidroeléctricas, que generan la mitad de la hidroelectricidad del país. Debido a que las partes altas de ambos ríos se localizan en Guatemala, la falta de un tratado internacional puede generar puntos de controversia si, por alguna razón, el gobierno guatemalteco decidiera conser-

8. Consulta en línea: <http://www.ine.gob.mx/ueajei/publicaciones/libros/402/cuencas.html>, 20 de diciembre de 2006.

var algunos volúmenes de agua dentro de su territorio, afectando el nivel de las presas del lado mexicano.

Sigue en importancia la cuenca del río Suchiate. Mide 1 287 kilómetros cuadrados de los cuales 84% se encuentra en Guatemala y 16% en México. El río Suchiate nace en el municipio de Sibinal, en Guatemala, y tiene una longitud de 120 km desde su nacimiento hasta su desembocadura en el océano Pacífico, 84 km de los cuales sirven de límite entre ambos países. Ese tramo del río se constituyó como límite internacional el 27 de septiembre de 1882, cuando se firmó el Tratado de Límites entre México y Guatemala.

Las otras cuencas son más pequeñas. La del río Coatán ocupa 901 km^2; 73% de esa superficie se halla en México y 27% en Guatemala. Es una cuenca con problemas de contaminación importantes, debido en parte a que el río Coatán atraviesa la ciudad de Tapachula, la segunda más grande del estado de Chiapas.

A diferencia de las anteriores, que se encuentran fundamentalmente en el estado de Chiapas, la cuenca del río Candelaria está ubicada entre Campeche y el norte de Guatemala. Mide 14 000 kilómetros, pero sólo 15% se encuentra en Guatemala. Por último, la cuenca del río Hondo es la única trinacional: de los 13 400 km^2 de superficie, a Belice le corresponde 31.22% 56.6% a México y el resto a Guatemala.

Las cuencas compartidas por México con Estados Unidos en el norte y con Guatemala y Belice en el sur son un buen ejemplo de las dificultades que los países enfrentan o podrían enfrentar para ponerse de acuerdo en la administración del agua. La existencia del Tratado de 1944 muestra que aún entre países tan diferentes como México y su vecino norteño es posible llegar a acuerdos para repartir y compartir el agua. La cooperación internacional es siempre el mejor camino. Es imposible evitar los conflictos, pero lo importante es que se encuentren vías de solución pacíficas.

Nuestras
responsabilidades

El derecho humano al agua significa al mismo tiempo un conjunto de responsabilidades. Como hemos visto, administrar, cuidar, proteger, conducir, repartir y usar el agua no es sencillo. Por su condición natural es un líquido que se contamina fácilmente y en el ciclo del agua intervienen tantos factores ambientales, sociales y económicos que su disponibilidad corre varios riesgos.

Como se trata de un asunto tan delicado y de algo que afecta a todo ser humano, no podemos dejar en manos del gobierno todas las decisiones y acciones sobre el cuidado, el reparto y el uso del agua. Por supuesto que los gobiernos de cada país tienen obligaciones y deben asumirlas: asegurar que todo ciudadano tenga acceso al agua limpia en cantidades suficientes es una de esas obligaciones ineludibles. Debemos cuidar que las numerosas decisiones gubernamentales que se toman día a día no perjudiquen la calidad y cantidad de agua disponible y que, por el contrario, se protejan los bosques, los lagos, los ríos y los acuíferos. Debemos vigilar que las agencias de gobierno cumplan con sus tareas, pero también tenemos que asumir varias responsabilidades. Las primeras son individuales y se relacionan con nuestro hogar: no desperdiciar agua, cerrar el grifo, reusar el agua cuando sea posible y evitar fugas en las cañerías son algunas medidas útiles e importantes, pero no son las únicas (aunque a veces los gobiernos y la publicidad nos hacen pensar que los ciudadanos no podemos hacer otra cosa).

Es muy importante estar informado de todo lo que nos afecta con respecto al agua, y algunas preguntas básicas que podemos plantearnos son de este tipo: ¿Qué calidad tiene el agua que llega a nuestro domicilio? ¿Contiene alguna sustancia que pueda ser peligrosa para la salud de la familia? ¿Es equitativa la distribución entre la población? ¿Cuáles son los sectores que más sufren de un mal sistema de distribución? ¿Qué empresas tienen las concesiones más grandes de agua y cuánto pagan por ella? ¿La usan en forma responsable?

Sin información suficiente, confiable, oportuna y clara, la participación de los ciudadanos será siempre muy difícil.

Existen países donde muchas de esas preguntas pueden responderse, porque las instancias de administración del agua cumplen con la obligación de ofrecerla. Por desgracia en México eso no sucede todavía. La información disponible le dice poco o casi nada al habitante común de una ciudad, porque los datos no tienen el detalle que nos permita conocer lo que pasa en nuestra población o colonia. Éste es un campo donde todos podemos aportar algo: recabar la información y difundirla es un gran paso para involucrarnos cada vez más en la protección del agua. Es también una tarea que podemos asumir de mejor manera si la hacemos en forma colectiva y organizada, uniendo esfuerzos con otros vecinos y amigos interesados.

En México todavía son muy pocas las asociaciones civiles que se ocupan de estas cuestiones, pero sí existen. Internet es un buen lugar para buscarlas. En el recuadro de las páginas siguientes encontrarás algunas direcciones que pueden servir para que conozcas otras experiencias y encuentres algún tipo de apoyo e información para empezar a actuar.

En este libro hemos ofrecido un panorama general sobre algunos de los problemas que enfrenta la gestión del agua, pero es bueno que busques más información. Por eso también anotamos en el recuadro algunos sitios de internet confiables donde puedes encontrarla.

La gestión sustentable del agua también requiere propuestas técnicas originales y de preferencia creadas por los propios países interesados, para evitar las dependencias tecnológicas que nunca han sido buenas. Si este campo es de tu interés podrías preguntar sobre profesiones universitarias y de nivel técnico ligadas al tema. Sólo por mencionar algunas, diremos que en México faltan todavía muchos geohidrólogos, es decir profesionales que estudian el agua subterránea. Como comentamos antes, son muy pocos los acuíferos de México que cuentan con un estudio técnico completo. También se requieren biólogos, químicos o parasitólogos interesados en el estudio de los cuerpos de agua; todos ellos son muy necesarios. Lo mismo podemos decir de geógrafos especializados en el manejo de herramientas muy útiles para los estudios del comportamiento de las cuencas. Debido a la importancia del agua en la producción de alimentos, la agronomía es una de las profesiones que ha desarrollado un particular interés sobre el tema; puedes buscar información sobre agroecología, disciplina que se ocupa de la producción de alimentos a la vez que procura el cuidado del medio ambiente. Faltan también sociólogos, economistas, abogados y antropólogos que hagan de los temas ambientales —y en particular de los ligados al agua— el foco de interés del ejercicio profesional. Son cada día más las instituciones de educación superior que están abriendo espacios de formación para temas relacionados con el agua. Puedes buscar más datos en las páginas electrónicas de la Universidad Nacional Autónoma de México, la Universidad Autónoma Metropolitana, las universidades de varios estados como Querétaro, San Luis Potosí, Veracruz y muchas otras. Hoy en día varios profesionales se han unido en redes de estudiosos sobre el agua. Puedes dirigirte a ellos para encontrar información útil.

Cada acción individual o colectiva puede parecer mínima frente a lo complejo del problema, pero nunca hay acción pequeña, todas son importantes para resolver nuestros problemas con el agua en el mundo.

Otras fuentes

Aunque abunda la información sobre el agua disponible en internet, a veces resulta repetitiva o no está actualizada o las páginas son poco confiables. Por ello hemos trabajado para recomendar sitios estables, respaldados por una organización permanente y ampliamente conocida; estos sitios concentran información general sobre algún tema o país y son actualizadas con regularidad.

Una referencia obligada para estar al tanto de la llamada crisis el agua es la información que reúne la Organización de Naciones Unidas en su portal UN-WATER, establecido luego de la conferencia mundial sobre agua limpia, organizada por la ONU en 2003.
http://www.unwater.org/flashindex.html

Mención aparte merece la UNESCO, que dedica al agua una sección especial en su sitio web. Esa página tiene la virtud de ofrecer conexiones a otras ligas de internet destinadas al agua, organizadas por tema, tipo de organización y país o región del mundo. En este portal se puede leer un resumen del Informe de Naciones Unidas llamado "Agua para todos. Agua para la vida".
http://www.unesco.org/water/index_es.shtml

Como hemos visto, el agua esta distribuida en el mundo en función de los diferentes ecosistemas. Se trata de un elemento fundamental en la constitución del territorio y de la vida animal y vegetal. Por eso también es bueno contar con información sobre la distribución de los recursos naturales en el planeta. Una página web recomendable es la del World Resources Institute, que ofrece información sobre las relaciones del agua con los ecosistemas y la sociedad.
http://www.wri.org/

Un organismo semejante, pero destinado a una parte de América, es la oficina para Mesoamérica (sur de México y Centroamérica) de la Unión Mundial para la Naturaleza. Esta página, de un organismo no gubernamental, da a conocer actividades y noticias regionales que pueden ser de gran interés.
http://www.iucn.org/places/orma/at_cbap_formastrabajo.shtml

Como resultado de las Cumbres Iberoamericanas de Jefes de Estado y de Gobierno, los países que las conforman han buscado mecanismos de cooperación. Uno de ellos es el Sistema Iberoamericano de Información sobre el agua, que se puede consultar en la página siguiente:
http://hispagua.cedex.es/siagua/

Alguna información específicamente destinada a los jóvenes puede verse en la página de la Juventud de América Latina y el Caribe. Recientemente se convocó en Argentina a un foro de jóvenes y agua;

más información se puede ver en la página especial de ese encuentro.
http://www.joveneslac.org/portal/
http://www.waterandyouth.org/

México es uno de los países donde por ley, la administración del agua está concentrada principalmente en un organismo federal: la Comisión Nacional del Agua. El sitio web de ese organismo ofrece la información oficial más completa sobre la situación del agua en el territorio nacional. Cuenta con un sistema de información en línea que permite ver varios atributos del agua y sus usos.
http://www.cna.gob.mx/eCNA/Espaniol/
Directorio/Default.aspx

Otro organismo federal de México que es bueno conocer se llama Instituto Mexicano de Tecnología del Agua (IMTA). El IMTA ofrece información sobre varios temas de ingeniería hidráulica, y también cuenta con una sección de educación ambiental.
http://www.imta.mx/

Otros países de América latina cuentan también con páginas especializadas en información sobre el agua. Aquí anotamos las de Bolivia, Argentina y Colombia.
http://www.aguabolivia.org/
http://www.ina.gov.ar/
http://www.minambiente.gov.co/
viceministerios/agua_saneamiento/vice_
agua_saneamiento.htm

En México existe un importante esfuerzo por reunir la información digital y no digital dispersa en una sola fuente de consulta. La página del Centro Virtual de Información de Agua es una de las pocas páginas que tiene una biblioteca de documentos en línea actualizada y en constante ampliación, así como entrevistas con personas que trabajan en el manejo del agua o investigan sobre el tema.
http://www.agua.org.mx

Otra página muy útil, porque concentra información dispersa, es la dedicada a los acuerdos para el manejo de aguas en las fronteras del continente americano. En este sitio puedes ver las cuencas que están en más de un país y conocer los acuerdos que regulan los usos de sus aguas.
http://www.colsan.edu.mx/investigacion/
aguaysociedad/proyectofrontera/frontera.asp

Finalmente, el Archivo Histórico del Agua de México tiene una página web especialmente atractiva por varias razones. Una de ellas es el material gráfico que ofrece: se trata de fotografías de distintos ríos, lagunas, acueductos y manantiales de México. También tiene en línea los boletines que publica, con textos que generalmente escriben investigadores del agua. Además, informa el tipo de acervos documentales disponibles en el archivo y cuentan con ligas a otros sitios dedicados al agua.
http://archivohistoricodelagua.info/mx/

ÍNDICE

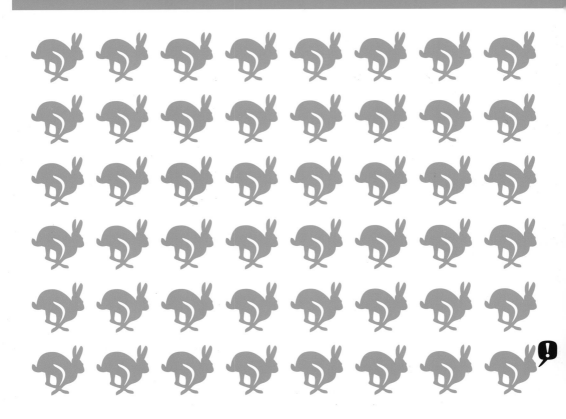